O Jeito que me Olha

Bella Andre

O Jeito que me Olha

Tradução

Marsely De Marco Martins Dantas

Novo Conceito

Título original: *The way you look tonight*

1ª Impressão — 2014

Produção Editorial:
Equipe Novo Conceito
Impressão e Acabamento Prol 071014

Este livro segue as regras da Nova Ortografia da Língua Portuguesa.

Dados Internacionais de Catalogação na Publicação (CIP)
(Câmara Brasileira do Livro, SP, Brasil)

Andre, Bella
O jeito que me olha / Bella Andre ; tradução Marsely de Marco Martins Dantas. -- 1. ed. -- Ribeirão Preto, SP : Novo Conceito Editora, 2014.

Título original: The way you look tonight.
ISBN 978-85-8163-595-8

1. Ficção norte-americana I. Título.

14-09902 CDD-813

Índices para catálogo sistemático:
1. Ficção : Literatura norte-americana 813

Novo Conceito

Rua Dr. Hugo Fortes, 1885 — Parque Industrial Lagoinha
14095-260 — Ribeirão Preto — SP
www.grupoeditorialnovoconceito.com.br

Recado de Bella:

Escrevo sobre a família Sullivan há dois anos e amo cada segundo que passo criando histórias de amor sobre heróis sensuais e heroínas de personalidade forte! Obrigada por serem os leitores mais surpreendentes do mundo! Seus e-mails, tweets, postagens no Facebook e no Goodreads me fizeram rir, chorar e gostar de escrever romances mais do que nunca.

Na verdade, *vocês* são a razão por eu ter decidido escrever mais histórias sobre os Sullivans! Depois dos primeiros oito livros sobre os de São Francisco, tantos leitores pediram mais Sullivans que eu me sinto emocionada por apresentar a vocês o clã de Seattle desta família. Não vejo a hora que a vocês conheçam Rafe, Mia, Ian, Adam e Dylan, e os pais deles, Max e Claudia Sullivan, nos próximos cinco livros. É claro que, pelo caminho, eu vou dar uma espiada nas vidas dos primeiros outros Sullivans e em sua mãe, em São Francisco.

Também devo avisar que, se essa for sua primeira leitura sobre os Sullivans, você terá facilidade em apreciar cada livro como se fosse único, e espero que realmente goste de cada um deles!

Mais uma vez agradeço seu apoio e encorajamento incríveis. Espero com toda a sinceridade que você adore conhecer meu detetive particular supersexy Rafe Sullivan... E a mulher maravilhosa que ele está prestes a conhecer.

Boa leitura,

Bella Andre

CAPÍTULO UM

Havia alguns dias em que Rafe Sullivan odiava seu trabalho.

A mulher vestida com elegância, sentada à sua frente, tinha lágrimas rolando em sua pele, e a maquiagem, antes impecável, formava marcas escuras em seu rosto. Ele deslizou a caixa de lenços de papel para perto dela, mas ela estava ocupada demais soluçando e agarrando as fotos que Rafe tinha lhe deixado ver.

Em cada uma das fotos, o marido da sua cliente, um executivo, estava com uma mulher diferente. Morenas, louras e ruivas estavam todas retratadas. A única coisa que o homem parecia usar como critério de discriminação era o tamanho dos seios, já que todas as mulheres eram muito bem dotadas, incluindo a jovem esposa que estava sendo traída por ele.

— Aquele canalha! — ela bateu na foto em meio ao choro. — Ele jurou que jamais me trairia. Ele disse que eu era *tudo* para ele. Durante nossos votos de casamento, ele ficou em frente à minha família e disse que eu era o verdadeiro amor da sua vida.

Ela ergueu o rosto; seus olhos estavam cheios de dor.

— Por que ele não conseguiu ser fiel? Será que não sou tão bonita quanto essas mulheres?

Sete anos antes, quando Rafe decidiu sair da polícia e abrir uma empresa de investigação, ele estava cheio de grandes ideais. Justiça. Verdade. Era isso que ele procurava. Agora tinha meia dúzia de pessoas trabalhando para ele, que se tornou bastante conhecido por administrar a melhor empresa de investigação particular no estado de Washington.

Como é que a empresa tinha se transformado naquilo? Ele costumava trabalhar em cada caso com a mente aberta. Afinal de contas, até que ponto as estatísticas sobre a infidelidade poderiam ser tão altas? Cinquenta por cento era alto, ele calculava. Sessenta por cento era de levar à loucura.

Ele não tinha imaginado um mundo em que cem por cento das pessoas investigadas estivessem agindo mal.

Em algum ponto, a reputação de Rafe em descobrir se homens e mulheres famosos traíam — e todos os clientes que ele atendeu sempre estavam sendo traídos — tinha colocado seus outros casos em segundo plano, mas ele não conseguia recusar trabalhos caros quando tinha funcionários que dependiam *dos salários e dos benefícios.*

Mesmo assim, embora viesse fazendo isso havia quase uma década, Rafe nunca conseguia manter-se indiferente no momento em que entregava ao cliente as fotos que ele e seus funcionários haviam tirado sobre a ação de infidelidade. Ele não conseguia evitar o sentimento de ser ao menos em parte responsável por aquelas lágrimas.

Mas, acima de tudo, ele odiava a forma como as mulheres logo deixavam a raiva de lado e passavam a culpar a si mesmas.

— Não é culpa sua — ele disse, com voz gentil.

Ele teria dito à cliente que ela era tão bela quanto as mulheres com quem seu marido a traía, e poderia até ter estendido a mão para tocá-

-la de forma consoladora, mas a experiência adquirida a duras penas lhe ensinava que nem isso podia fazer.

Consolo e cumprimentos tão necessários poderiam ser facilmente confundidos com outra coisa. Ele foi idiota o bastante para entrar nessa uma vez, mas já havia aprendido a lição. Sabia que não valia a pena começar coisa alguma com uma de suas ex-clientes, mas ela foi persistente e era bonita... E ele estava cansado e era um idiota. Cara, *aquilo* foi a maior burrice.

Agora, apesar de achar que poderia fazer mais para ajudar a moça, tudo o que lhe cabia era entregar lenços de papel a ela.

Ela enfim tirou um da caixa para enxugar as lágrimas e o rímel que escorria:

— Eu *confiei* nele — a voz dela mais parecia um suspiro. — Como vou poder confiar em alguém outra vez?

Rafe sabia que ela estava esperando que ele garantisse que nem todo mundo era ruim, que ainda havia algumas pessoas boas por aí. Mas, depois de sete anos pegando todos os traidores do noroeste do Pacífico, tudo o que ele conseguiu fazer foi avisá-la:

— Você tem um bom instinto. Foi por isso que veio até mim, não foi?

Ela assentiu, afinal parando de chorar, graças a Deus.

— Continue acreditando em seu instinto.

Ela pareceu pensar no conselho por um momento antes de suspirar fundo e enxugar o restante das lágrimas.

— Sim, você tem razão. É exatamente isso que preciso fazer. Confiar em mim mesma em vez de confiar nos outros. E, neste momento, meu instinto está me dizendo para tirar do cretino do meu marido *tudo* o que ele tem.

Vida renovada brilhava em seus olhos conforme os pensamentos de vingança se consolidavam.

A cliente tinha passado de angústia a sentimento de culpa até chegar a vingança, tudo isso em um espaço de tempo de cinco minutos. Eram só dez horas da manhã. Ele ainda tinha mais sete horas de trabalho pela frente...

Ela se levantou e alisou o vestido de seda, respingado de leve com lágrimas.

— Nem sei como agradecê-lo por sua ajuda, Sr. Sullivan.

Ele desejaria que ela não tivesse algo a agradecer quando apertou sua mão.

— Boa sorte com tudo.

— Meu futuro ex-marido é que vai precisar de sorte — ela garantiu antes de acrescentar. — E pode ter certeza de que vou recomendá-lo às minhas amigas.

O cinismo agora ofuscava a beleza da sua juventude.

— Tenho certeza de que a maioria delas vai precisar dos seus serviços também — ela parou na porta a meio passo e virou-se para ele, dizendo: — Sabe o que mais machuca? Até mesmo mais do que saber que ele estava dormindo com outras mulheres? Até mesmo mais do que as mentiras?

Por sorte, Rafe sabia que se tratava de uma pergunta retórica, então simplesmente esperou pela continuação.

— Ele sem dúvida não pensou que eu teria inteligência nem coragem para descobrir o que ele estava fazendo. Se ele queria tanto terminar nosso casamento, se ele sabia que não me amava mais, deveria ter sido corajoso o suficiente e agir como homem, dizendo tudo na minha cara — ela estreitou os olhos: — Mas ele não teve o mínimo de respeito por mim para fazer isso.

Assim que ela saiu do escritório, Rafe afundou em sua poltrona de couro, passando as mãos pelo rosto. Foi assim que sua irmã Mia o encontrou.

— Juro — ela disse —, as mulheres mais lindas do mundo saem do seu escritório, e elas sempre têm os sapatos mais belos e caros também. Outro cara rico enganando a esposa-troféu, hein?

Rafe nem se incomodou em abrir os olhos. Ou em dar crédito à pergunta para a qual Mia já sabia a resposta. Em vez disso, ele respondeu:

— Se você está aqui para saber se pode levar minha Ducati para dar uma volta, a resposta é e sempre será não.

Só Deus sabia o que a impulsiva da sua irmã faria com a sua motocicleta se ele emprestasse a chave a ela, mesmo que por quinze minutos. Além do mais, se ela se machucasse por dirigir rápido demais ou de forma selvagem demais, seus pais o matariam.

— Bem, você com certeza precisa de uma dose de ânimo hoje, não é? — dava para ouvir o riso dela sem nem precisar olhar. — Para sua sorte, é por isso que estou aqui.

Por fim, ele abriu um dos olhos.

— Hoje não estou a fim de nada, seja qual for a carta que você tenha sob a manga. Me procure de novo em seis meses.

— Acredite em mim, isso vai fazer você se sentir melhor. Prometo.

Mia enfiou a mão na bolsa de couro, um item que ele imaginava ter custado tão caro quanto sua moto, e pegou um pedaço de papel. Apesar de ele não ter demonstrado estar à procura de uma casa de veraneio, ela não parava de falar sobre várias propriedades próximas a lagos nos últimos meses, mandando fotos por e-mail e entregando panfletos quando eles se encontravam na casa dos pais para almoçar. Ainda assim, a constante exposição a casas de veraneio disponíveis o fez pensar, e ele sabia que essa era a intenção de Mia o tempo todo.

Alguns meses afastado da indústria de esposas-troféus chorosas e rejeitadas e de capitães traidores?

Parecia o paraíso.

Todos os seus irmãos adoravam o que faziam. Mia era tão boa em vender propriedades que abriu a própria imobiliária bem antes dos trinta anos. Seu irmão Adam nunca viu uma casa histórica que não quisesse restaurar. Ian, o mais velho do clã de Seattle, ganhava milhões enquanto dormia. E seu irmão Dylan velejava antes de aprender a andar, então fazia perfeito sentido o fato de construir os melhores barcos.

Só Rafe estava preso a um negócio bem-sucedido que acabava com a vida dele dia após dia.

— Não preciso de outra casa — Rafe resmungou.

Ele fechou os olhos outra vez, afundando ainda mais na poltrona e colocando os pés para cima na mesa de centro. Com sinceridade, o silêncio o preocupava mais que tudo, já que sua irmã não era conhecida por ser uma pessoa profundamente meditativa. Pelo contrário, ela era a perfeita combinação do Demônio da Tasmânia com um furacão rodopiante. Ele estava tentando conseguir energia para colocar um ponto-final no que quer que ela estivesse planejando quando algo pontudo o atingiu no meio dos olhos.

— Ei, que diabos foi isso, Mia?

Havia um avião de papel no colo dele com a ponta dobrada por causa do impacto com a testa.

— Só dê uma olhada. Sei que você anda ocupado consolando mulheres chorosas o dia todo, e eu não iria incomodá-lo a menos que fosse muito importante — ela apontou para o avião de papel: — Acredite em mim, *isto* é muito importante.

Sabendo que era melhor dar o que ela queria para que pudesse continuar seu dia de merda, Rafe abriu o avião de papel. Não havia muita coisa impressa na página além de uma foto meio indistinta no alto, mas era o que bastava para ele entender exatamente por que sua irmã tinha largado tudo para lhe trazer o papel.

— Não é primeiro de abril, é?

Com sinceridade, ele não conseguia acreditar no que via. Seus pais haviam comprado um chalé no lago na região de Cascade Mountains quando ele era criança, e eles passaram todos os verões lá até Rafe completar catorze anos. Foi nessa época que seu pai perdeu o emprego e tudo mudou para sua família. Foi uma droga perder a casa no lago, mas foi muito pior observar seu pai perder a autoconfiança e ficar de cabelos brancos praticamente do dia para a noite. Pior ainda era que todos ainda estavam sofrendo pela perda inesperada do irmão do seu pai, o tio Jack. Foi uma época bem difícil para os Sullivans da Costa Oeste, e, até agora, Rafe não gostava de pensar naqueles tempos.

— Assim que vi essa casa, mudei todos os meus compromissos para vir correndo até aqui mostrar para você.

Rafe olhou para o panfleto de novo. Parecia que nada na casa havia mudado, e ele estava feliz por isso. Cara, ele amava aquele lugar. Esperava com ansiedade pelo verão o ano todo por causa da casa. Caminhada, natação, passeios de barco, pesca, esqui aquático... e garotas. Tantas garotas bonitas de biquíni que faziam a cabeça do garoto adolescente pirar.

— Você tem que fazer uma proposta — Mia insistiu. — Hoje.

Dava quase para sentir o cheiro das fogueiras, dava para sentir a água cobrindo-o ao pular na beira do ancoradouro. Mas ele já tinha tido uma conversa consigo mesmo cem vezes. Ele tinha empregados que contavam com ele. Tinha metade da elite de Seattle batendo à sua porta, exigindo que seus cônjuges fossem investigados. Ele não era mais criança. Tinha responsabilidades. Não podia sair por aí, deixando seu negócio para trás.

Rafe forçou-se a abaixar o papel na mesa à sua frente.

— Minha próxima cliente estará aqui em quinze minutos.

— Peça para o Ben atendê-la.

— Ben tem os próprios compromissos.

— Ele é ótimo com as suas esposas traídas. Melhor do que você, na verdade, pois ele é menos cínico em relação a isso tudo.

Rafe tinha um metro e noventa, com ombros largos e mãos grandes. Era raro as pessoas discordarem de qualquer bobagem que ele falasse. Mas, apesar de sua irmã mais nova ser uns trinta centímetros mais baixa e pesar no mínimo trinta quilos a menos, ela não tinha o menor medo de confrontá-lo.

— Todo mundo vê o que esse trabalho está fazendo com você — ela disse. — É sério, você tinha que ver como estava quando eu entrei. Droga, olha como você está agora, só de pensar em se encontrar com outro cliente.

Sua irmã era esperta. Às vezes ela sabia mesmo o que estava falando. Mesmo assim, ele tinha que dizer:

— Você acha que é fácil? Que eu posso comprar o chalé, passar meus clientes para o Ben e ir curtir o verão?

— Por que não? Quer dizer, você *é* o chefe.

— Você é a chefe da Imobiliária Sullivan, mas não está pensando em comprar a casa do lago e deixar seus empregados para tirar uma folga.

— É verdade — ela concordou um pouco rápido demais —, mas há uma diferença entre mim e você. Eu gosto do meu emprego. Além disso, quando foi a última vez que você tirou férias de verdade? — antes que ele pudesse responder, ela disse: — O fato é que sempre haverá pessoas que traem seus cônjuges, então você sempre terá mais trabalho. Só você pode apertar o botão de pausa, Rafe. Ainda mais depois do que aconteceu com você e...

O olhar dele a fez parar de falar sobre a maldita coisa que todo mundo falava nos últimos meses, o ferimento a faca nas costelas. Ele já tinha superado isso. Por que eles não conseguiam? O cara mal encostou a ponta da faca na pele dele antes de Rafe jogá-lo do outro lado da garagem.

Mesmo assim, irritava-o ter que admitir que sua irmãzinha estava certa sobre tirar uma folga. Não porque ele estivesse com medo de alguém pular em cima dele outra vez em um estacionamento escuro, mas porque um cara precisava recarregar as baterias de vez em quando. Sexo em geral era uma coisa boa para isso, mas nos últimos tempos até mesmo algumas horas bem quentes na cama com mulheres que, como ele, não estavam procurando amor pareciam bem insuficientes.

Mia também estava certa sobre seus empregados; ele fez questão de contratar apenas os melhores, e podia confiar neles para manter a empresa funcionando por um tempinho.

Pensar em acordar com o som da água batendo na orla em vez do trânsito avistado do lado de fora da janela, e sair com o barco para pescar em vez de entregar lenços de papel para mulheres aos prantos, quase o fez se sentir dez anos mais jovem.

— Tudo bem, você me convenceu a tirar férias — ele disse à irmã, que já ia começar a tripudiar —, mas posso alugar uma casa.

Ela pegou o folheto da mesa de centro:

— Lembra que nós fazíamos concursos de bala de canhão no ancoradouro e os Jansens, nossos vizinhos, votavam para decidir o vencedor?

Ele riu diante dessa lembrança, e o som saiu meio enferrujado por estar fora de uso há um bom tempo. Ele não via Brooke Jansen nem seus avós havia mais de quinze anos, mas não tinha se esquecido deles. Rafe olhou para a foto da casa do lago e comentou:

— Eu amava esse lugar. Nós todos amávamos.

O olhar de Mia não era mais desafiador nem parecia que ela ia tripudiar. Ela e seus irmãos sempre brigavam e provocavam uns aos outros, mas, antes de tudo, eles se amavam... E sempre cuidavam uns dos outros também.

— Você gostava de lá mais do que todo mundo, Rafe. Você tem dinheiro. Chegou a hora de, enfim, usar um pouco para esfriar a cabeça no lago.

Rafe percebeu que podia continuar discutindo com ela, mas para quê? Ele queria o chalé, e não só para si mesmo. Para toda a família, em particular seus pais, que jamais deveriam tê-lo perdido, para começo de conversa. Dessa vez ele ia garantir que ninguém o perdesse de novo.

Ele pegou o folheto e olhou a foto mais de perto. À primeira vista, não parecia muito diferente do que ele se lembrava, mas dava para notar que a pintura estava descascando, que os arbustos precisavam ser podados, que a escada da frente estava desgastada e um pouco arqueada.

— Depois de todos esses anos, é bem provável que precise de uma reforma.

— Tenho certeza que sim, mas você tem tanto jeito para isso quanto Adam. E você sabe que ele ficará animado em poder criar as melhores soluções de conserto para os problemas que talvez você encontre. Tentei falar com a corretora a manhã toda, então mais tarde dou os detalhes, mas o folheto diz que a casa está mobiliada, por isso espero que não tenha que gastar muito com móveis.

Se fosse qualquer outra casa, ele pediria a Mia para lhe mostrar mais fotos e lhe dar o relatório da seguradora, mas ele conhecia aquele lugar por dentro e por fora. Com certeza, ele não sabia nada sobre as pessoas que moraram lá nos últimos dezoito anos, mas seriam tantos consertos assim?

— Você venceu. Farei uma proposta.

O sorriso de Mia já iluminava seu lindo rosto.

— Eu sabia!

Ele olhou para o relógio:

— Tenho que atender alguns clientes pela manhã, mas é provável que possa passar no seu escritório mais tarde para assinar tudo.

— Não precisa — ela enfiou a mão na bolsa e retirou uma enorme pasta.

— Assine aqui, aqui, aqui e aqui. Já telefonei e passei sua proposta inicial. Assim que eu mandar isto, tudo estará pronto.

Era óbvio que ele precisava de férias, mas já devia ter previsto que aquilo ia acontecer. Mia Sullivan sempre conseguia o que queria.

Mais ainda quando estava tentando ajudar alguém que amava.

— Um dia você vai encontrar um cara impossível de ser controlado — ele disse ao pegar a caneta que ela lhe entregou para assinar tudo perto dos Post-Its. Ela estava sorrindo ao pegar os papéis de volta, mas o sorriso de repente pareceu um pouco forçado.

Ele colocou a mão no braço dela:

— Tudo bem, irmãzinha?

— Está tudo ótimo — ele não tinha certeza se acreditava, mas ela já estava saindo e dizendo:

— Você deverá ser o orgulhoso proprietário da casa no lago hoje à noite.

Ele viu o valor anotado na proposta e nem piscou, mas agora tinha que perguntar:

— A minha oferta é boa?

Dessa vez foi ela quem piscou ao dizer:

— Boa o bastante para subir na sua Ducati amanhã e ir para lá fazer uma fogueira na praia, deitando-se para apreciar as estrelas ao cair da noite.

— Obrigado, Mia — ela foi, e sempre seria, o maior pé no saco. Mas ele não trocaria sua irmãzinha por ninguém.

Ela não se virou, apenas acenou para ele por cima do ombro. Notando que todos os seus funcionários homens estavam babando por ela em vez de trabalhar, sua voz foi mais dura do que seria ao avisar:

— Reunião obrigatória da empresa na hora do almoço.

Com isso, ele voltou para o escritório a fim de se preparar para a próxima reunião... E, com um verão no lago em vista, para começar a escrever a lista de tarefas previstas para sua equipe da Sullivan Investigações.

CAPÍTULO DOIS

Havia dias em que Brooke Jansen amava seu emprego.

Todos os dias, na verdade, desde que havia se mudado de Boston para morar em tempo integral no lago e começar seu negócio de fabricação de trufas de chocolate. Ela amava até mesmo dias como aquele, quando não conseguia fazer a receita dar certo.

Ela passou oito horas trabalhando em uma caixa de trufas temáticas para o verão, algo que esperava que fosse agradar as pessoas tanto quanto a caixa temática de inverno que havia estreado no Natal. Agora era a hora de cuidar da dor nas costas nadando um pouco. Além disso, ela tinha uma tendência a ter suas maiores epifanias debaixo d'água. Nadava como um peixe desde o dia em que o avô a soltara de seus braços, jogando-a no lago apesar de seus protestos de que ainda não estava pronta.

Brooke pegou as panelas e tigelas de vidro da pia. Ao lavá-las rapidamente, ela admirava a vista do lago e os pinheiros nas montanhas além do lago. Apesar de morar no Lago Wenatchee pelos últimos três anos, ela mal conseguia acreditar em como era bonito.

Quando criança, viajava de Boston para Washington todos os verões para visitar os avós, Frank e Judy. Ela adorava cada segundo na praia cheia de areia, adorava nadar na água fresca do lago, assar marshmallows na fogueira... E ficar com as duas pessoas mais adoráveis e acolhedoras que tinha conhecido.

Em todos aqueles verões, seus pais só vieram visitar a casa no lago algumas vezes, e todas as visitas foram estranhas e desconfortáveis. Até porque seus pais e seus avós não concordavam em quase nada... Ainda mais no que se referia a ela. Não que seus pais fossem dois ogros, mas eles sempre estavam tão concentrados na carreira que com frequência pareciam se esquecer de que tinham uma filha que queria se divertir. Quando se voltavam para Brooke, ela sempre sentia o desapontamento deles por não ser incisiva como a mãe advogada nem brilhante como o pai economista.

Eles queriam um bebê Einstein. Em vez disso, tinham a Moranguinho.

Acima de tudo, foi muito difícil para a mãe conseguir engravidar e segurar a gravidez. Então, desde que Brooke nasceu, seus pais a tratavam como se ela fosse uma escultura de gelo terrivelmente frágil. Durante toda a sua vida eles tiveram medo de que ela se machucasse, mesmo Brooke tendo sido a criança e a adolescente mais cuidadosa e mais consciente da vizinhança. Bem, tirando a noite em que saiu escondido, como toda garota de dezesseis anos do planeta, e cometeu o erro que eles jamais a deixaram esquecer...

Brooke tinha vinte e três anos quando os avós morreram depois que o carro derrapou no gelo em uma remota passagem da montanha. Apesar de três anos terem se passado, o buraco em seu coração era maior do que nunca. No testamento, eles deixaram para ela o chalé de veraneio, sabendo, claro, que seus pais não tinham nenhum interesse nele, junto com o que tinham em sua conta bancária.

Ela ficou tão arrasada pelas mortes súbitas que, depois do funeral, os pais tentaram convencê-la de que faria mais sentido se ela voltasse para Boston e retornasse ao lago depois, para arrumar as coisas deles quando estivesse mais forte. Mas, assim que ela passou pelo portão do aeroporto, em vez de entrar no avião, deu um beijo de adeus nos pais surpresos, virou-se e foi embora.

Tudo na casa de frente para o lago dos avós estava do jeito exato como tinham deixado. *Como eles podiam ter partido?* Ela entrou cambaleando na casa e mal conseguiu chegar à cadeira de balanço favorita da avó antes de suas pernas travarem.

O livro de receitas da avó estava em cima da mesa de centro, e ela o pegou com as mãos trêmulas. O avô havia feito, em sua marcenaria, a capa de madeira com um coração entalhado ao redor das iniciais deles, um presente de amor para a esposa, que ele adorava desde o primeiro momento em que a viu. O tempo e as muitas quedas no chão do balcão da cozinha fizeram uma enorme rachadura no centro do coração de madeira. Quando Brooke abriu a capa, encontrou, em cima da primeira receita, uma foto sua com a avó em pé junto ao balcão da cozinha, as duas usando avental florido e com um enorme sorriso no rosto. As mãos estavam cobertas de chocolate, e havia raspas por todo o balcão ao redor delas.

Brooke ficava cada vez mais feliz a cada verão em que fazia trufas com a avó, que era apaixonada por seu hobby e por dividi-lo com amigos e com a família. Enquanto olhava para a fotografia, Brooke percebeu por que não tinha conseguido entrar no avião com os pais para voltar para o emprego em recursos humanos em Boston. A vida era curta demais, e preciosa demais, para ser desperdiçada. Brooke afinal sabia com precisão o rumo que ela deveria dar a sua vida: ficar no lago, na casa dos avós, e fazer trufas.

O primeiro ano foi mais um assustador curso intensivo, não apenas na arte de fazer trufas artesanais, mas também no que dizia respeito a começar e administrar o próprio negócio, em especial diante do horror de seus pais pelo fato de ela ter abandonado uma carreira lucrativa para fazer algo arriscado com um "lucro tão pequeno", como eles diziam. Por sorte, ela conseguiu contrato com várias lojas pequenas na cidade antes que se esgotasse o dinheiro que os avós tinham deixado para ela.

Mudar-se para o lago e começar a própria empresa, fazendo o que ela e a avó amavam, foi como seguir um fraco raio de luz, mas ela sempre soube que ele ficaria cada dia mais forte. Foi isso o que seus avós lhe ensinaram — acreditar em si mesma e nos outros. A comunidade toda a ajudou a ser bem-sucedida, o que só provou que sua crença era verdadeira.

Depois de limpar a cozinha, Brooke foi até o quarto, tirou o jeans e a camiseta e vestiu o biquíni. Foi uma compra ousada, que ficou sem uso na cômoda até a casa ao lado vagar e ela ter certeza de que ninguém veria o que ela estava usando. Ela ia na direção da varanda da frente quando o telefone tocou. Quando olhou no identificador de chamadas e viu o número da mãe, sentiu um nó no estômago por um segundo antes de atender.

— Oi, mamãe, obrigada por retornar a ligação.

— Querida — a mãe disse: — É sempre bom ouvir a sua voz. Eu só queria que você não morasse tão longe. Seu pai e eu nos preocupamos com você. Está tudo bem?

Quando, Brooke se perguntava, seus pais iriam parar de se preocupar com ela? Sobretudo porque, em toda a sua vida, ela só tinha feito uma coisa selvagem e estúpida... E já fazia uma década que isso tinha acontecido.

— Está tudo bem. Ótimo, na verdade — ela tinha boas notícias para dar a eles e esperava que reagissem bem. — Eu falei que o colega do papai, Cord Delacorte, veio até o lago me visitar há algum tempo?

— Ah, Brooke — disse a mãe com um tom de voz muitíssimo preocupado —, por favor, diga que você não está saindo com ele. Ele é um empresário brilhante, mas, pelos rumores que ouvi durante o cargo temporário que ocupou na universidade há alguns anos, é o tipo exato de homem de quem se deve ficar longe.

Não tenho mais dezesseis anos, ela queria gritar.

Em vez disso, disse à mãe: — Não se preocupe, Cord e eu não estamos namorando. Na verdade, ele é bem casado.

Além disso, será que a mãe não percebia que homens como ele nunca olhavam para o tipo de Brooke? Ela era fofa demais. Doce demais. Uma garota para lá de boazinha, em particular depois que a única tentativa de ser malvada deu tão errado.

Ela explicou que Cord recebeu uma caixa das suas trufas de presente de Natal. Ele gostou tanto deles que dirigiu duas horas e meia de Seattle até o Lago Wenatchee para lhe fazer uma proposta de expansão do alcance dos chocolates para além da área local, começando com uma pequena loja em Seattle, supervisionada por ele. Se desse certo — e ele parecia muito confiante de que daria —, ele ansiaria por uma expansão ainda maior em grandes cidades e até mesmo pedidos por e-mail. Ela tinha assinado os papéis da sociedade pela manhã.

— Por que você não nos contou antes? — a mãe perguntou. — Eu gostaria de ter dado uma olhada no contrato de sociedade antes de você assinar qualquer coisa.

Brooke sentiu o estômago revirar um pouco mais. — Não se preocupe, arrumei um ótimo advogado aqui, nós analisamos o contrato com muito cuidado várias vezes.

A mãe ficou em silêncio por um bom tempo. — Bem, pelo menos Cord não é um estranho, e eu sei que seu pai vê suas habilidades de negociação de forma muito positiva — Brooke ouviu alguém falar com a mãe ao fundo. Era bem provável que fosse algum dos seus assistentes jurídicos. — Sinto muito, querida, mas tenho que ir agora. Darei a notícia ao seu pai. Tenho certeza de que ele vai querer discuti-la com você também.

Brooke suspirou ao desligar o telefone, mais agradecida do que nunca por poder pular no lago e esfriar a cabeça. Ela adorava os pais, mas eles conseguiam ser bem dominadores, mesmo do outro lado do país. Um dia desses ela esperava que eles enfim percebessem que ela tinha crescido, que seu grande erro tinha ficado para trás havia muito tempo e que ela era capaz de tomar boas decisões sozinha. Foi por isso que ela não os envolveu nos planos para a nova sociedade. Não porque eles não teriam bons conselhos para dar, mas porque ela precisava provar que conseguia fazer isso sozinha — e faria bem.

Por fim, indo para a varanda coberta da frente, ela respirou o ar adocicado que vinha dos pinheiros. Nem se importou em enrolar uma toalha no corpo ao ir para o ancoradouro na frente da casa. Ela sempre foi uma garota cheia de curvas — um duro contraste com a mãe magra e esbelta —, e, aos vinte e poucos anos, apesar de o corpo não ter ganhado mais do que dez quilos, as curvas ficaram bem mais pronunciadas.

Brooke caminhou pelo pequeno gramado e estava quase chegando à areia da orla quando ouviu uma caminhonete subir a entrada de carros da casa ao lado. De onde ela estava, dava para ver um homem sair e tirar a placa de VENDE-SE da frente da casa.

Espere aí. A casa não tinha sido posta à venda havia apenas dois dias? Ficava em uma localização perfeita na praia arenosa, sem dúvida, mesmo assim parecia que a venda tinha acontecido em velocidade absurda. Contudo, mais que isso, apesar de todos esses anos, ela não conseguia imaginar mais ninguém além dos Sullivans morando lá.

Os Sullivans Selvagens foi como seus pais os batizaram, intimidados por completo pelo comportamento da família vizinha. Ah, como Brooke tinha desejado secretamente ser tão selvagem, e tão livre, como eles. Ela também, se era para ser completamente honesta consigo mesma, várias vezes desejou que seus pais fossem tão calorosos quanto o Sr. e a Sra. Sullivan. Seus avós eram cheios de beijos e abraços para ela, mas seus pais tendiam mais a elogiar uma boa nota do que a aplaudir quando ela se jogava do cais como uma bala de canhão perfeita. Droga, era bem provável que eles nem soubessem o que era bala de canhão, enquanto Max e Claudia Sullivan participavam de igual para igual com seus filhos na competição. Ela ainda ria ao pensar no dia em que os avós foram chamados para serem os juízes.

E ela ainda se lembrava de quem tinha vencido a competição: Rafe Sullivan.

Brooke tinha a maior paixão do mundo por ele. Mesmo aos oito anos de idade, ela conseguia reconhecer a pura beleza masculina no jovem de catorze anos. Seus três irmãos também eram bonitos, como sua irmã e amiga, Mia, mas Rafe era especial. Ele ria alto e tinha mais disposição para assumir riscos do que os irmãos.

Rafe Sullivan era a pessoa mais despreocupada, mais maravilhosamente selvagem, que ela já tinha conhecido.

Os pneus da caminhonete, que faziam o cascalho da entrada de carros pular, a tiraram de seus devaneios. Ela não via os Sullivans havia mais de quinze anos. Eles estavam lá em um verão, e no outro tinham ido embora e um casal enfadonho ficou no lugar deles. Nada de balas de canhão no ancoradouro, nada de fogueiras com os vizinhos amigos, nada de caminhadas nas montanhas ao redor do lago, onde eles fingiam ser professores arqueólogos aventureiros como Indiana Jones. Nos últimos anos, a casa foi usada para temporadas de férias. A maioria dos locatários era legal, mas nenhum deles ficava tempo suficiente para se tornar amigo, e os últimos eram horrorosos. Falavam alto, eram arrogantes e estavam mais a fim de festas do que de apreciar o lago. Ela ficou feliz por ver a placa de VENDE-SE ser colocada. Tomara que fosse vendida para outra família que apreciasse de verdade tudo o que o lago tinha para oferecer.

Já era tarde e o sol estava prestes a se pôr, e, se ela não entrasse logo no lago, esfriaria demais para poder ficar muito tempo. Como era típico do noroeste do Pacífico, havia uma leve brisa no ar, apesar do dia ensolarado.

Ela adorava tanto ficar na água que sorria até mesmo com o choque frio que a fazia se mover rapidamente no nado de peito com a intenção de bombear o coração e aumentar a temperatura do corpo. Em segundos, ela só conseguia pensar na gloriosa sensação de nadar na água limpa e clara. Um peixe nadava debaixo dela, e ela se sentia no paraíso.

Ela passou por meia dúzia de ancoradouros quando afinal percebeu qual era o problema com a última receita. Ela planejava chamar a nova coleção de trufas de *Prazeres do Verão*, mas, ao ficar um pouco longe da cozinha, acabou vendo que estava sendo literal demais.

Não era parte da alegria do verão a lembrança de como tinha feito frio no inverno? Apenas a mais leve indicação desse frescor, um toque de menta, talvez? Seria o caminho ideal para ressaltar a alfazema, que ela havia escolhido como o sabor perfeito do verão.

Nadando com maior rapidez ainda, Brooke virou-se para voltar para casa. Ela mal podia esperar para experimentar a nova ideia e ver se funcionava. Quando chegou ao ancoradouro, segurou-se na escada de madeira e logo subiu. Tirando os cabelos compridos dos olhos, correu para a cozinha e estava quase chegando à varanda da frente quando ouviu outro motor alto atrás do chalé ao lado.

Um homem sozinho tinha acabado de chegar de motocicleta, as pontas dos cabelos negros esvoaçando por debaixo do capacete.

É assim, pensou Brooke com apreciação feminina imediata, *que alguém livre e selvagem deve ser.*

Seus pais a ensinaram que não é educado encarar, mas ela não conseguia obedecer a essa advertência ao observar o homem tirar o capacete e passar a enorme mão pelos cabelos. Ela não conseguia ver o rosto dele ainda, mas não precisava ver suas feições para saber como ele era bonito. Os ombros eram incrivelmente largos, e mesmo a distância dava para ver como suas mãos eram grandes — e capazes — enquanto ele segurava o guidão.

Ela estava ocupada demais cambaleando da explosão de pura luxúria pelo estranho quando ele desceu da motocicleta, por isso ela levou um momento um pouco longo demais para perceber que ele não era assim tão estranho.

CAPÍTULO TRÊS

— Rafe? — o nome dele saiu com um pouco mais do que um murmúrio atordoado. — É você mesmo?

A pergunta foi alta o bastante para que ele afinal virasse o rosto para ela. Só que não disse palavra nenhuma, nem mesmo saiu do lugar.

Tudo o que ele fez foi encarar, mas tudo bem, porque ela estava ocupada encarando de volta.

As pessoas costumam dizer que as lembranças tornavam as coisas mais doces do que elas eram de fato. Mas agora Brooke sabia que isso não era nada verdade. Ela não apenas tinha fantasiado sobre como Rafe estaria bonito durante todos esses anos em que eles estiveram separados, mas, além de tudo, suas lembranças tinham subestimado em alto grau quão deslumbrante ele era.

O cabelo era negro e só um pouco comprido, a pele estava bronzeada, o maxilar trazia uma barba rente, e ele era tão grande e alto que ela sabia que teria que ficar na ponta dos pés para enlaçar seu pescoço para beijá-lo.

Só de pensar em fazer algo assim já esquentava seu corpo todo no mesmo instante, não importava a brisa gelada na pele molhada. Ela não passava de uma criança na primeira vez em que se lembrava de ter olhado para Rafe, mas mesmo naquela época ele sobressaía do restante dos irmãos como o mais divertido. Mais desafiador. E infinitamente mais bonito.

Como ele não disse nada, ela deu um passo em sua direção. — Sou eu, Rafe. Brooke Jansen. Lembra?

Por fim, a intensidade dos olhos negros mudou para uma expressão de reconhecimento. — Pequena Brooke — ele disse com uma voz baixa que a deixou agitada —, como eu poderia esquecer você?

Ela passou anos demais sufocando os desejos selvagens. Mas seguir um impulso selvagem não foi o que a levou direto aos braços do seu Sullivan favorito sem pensar duas vezes. Foi a pura felicidade de, enfim, vê-lo outra vez.

Ele a apertou contra o peito quando ela o abraçou com força. Ele

exalava um perfume tão bom, e a parte nua da sua pele acima da camisa era tão quente apesar do ar frio da noite, que ela não conseguiu resistir a afundar o rosto contra o corpo dele. Enquanto o segurava com força, ela se sentiu segura como não se sentia havia anos. Ela tinha perdido muitas pessoas queridas em sua infância, e estava muitíssimo grata por receber o presente precioso de ter uma delas de volta.

Ela podia ter ficado agarrada a ele daquela forma para sempre se não fosse pela súbita percepção de como os músculos rígidos e quentes dele deviam estar contra a sua pele molhada e quase nua.

A garotinha dentro dela tinha se jogado nos braços dele... mas era a mulher que queria ficar cada vez mais próxima.

Quando ela tinha oito anos, ter uma queda por Rafe era uma coisa doce. Inocente. Mas o que ela estava sentindo agora com certeza não era doce.

E não estava nem perto de ser inocente.

Selvagem. O pensamento — não, era mais desejo e pura necessidade do que um pensamento consciente — veio para ela em um instante: *quero ser selvagem com Rafe Sullivan.*

Havia, porém, mais de quinze anos que eles não se viam, tempo mais do que suficiente para que ele já tivesse esposa e família, ou no mínimo uma namorada. Quando Brooke se forçou a afastar-se dele, demorou a se lembrar de que ainda estava vestindo apenas o biquíni. Um biquíni bem molhado, que ela pensou que ninguém a veria vestindo. E que tinha deixado a jaqueta e a calça dele ensopadas.

Ela teria tentado se cobrir com as mãos se pensasse que faria algum bem, mas, apesar de mal conseguir fazer o cérebro funcionar direito outra vez estando tão perto de Rafe Sullivan, sabia que não havia razão para isso.

O biquíni era pequeno demais, e suas curvas eram grandes demais.

Atrapalhada, tudo o que ela podia pensar em dizer era: — Deixei você todo molhado.

Rafe não olhou para as suas roupas nem abaixou o olhar ao perguntar: — Como está a água?

Ela adorou o fato de, apesar de eles não se verem havia anos, ele ter feito a pergunta como se fosse apenas mais um ótimo dia no lago.

— Está demais — de repente, ocorreu-lhe que a placa de VENDE-SE tinha sido retirada um pouco antes de Rafe chegar. A esperança a iluminou por dentro. — Por favor, diga que você acabou de comprar a casa de volta.

— Mia é corretora em Seattle. Ela viu o anúncio — ele olhava para Brooke com seus olhos negros, que a aqueciam apesar do ar frio que continuava soprando. — Não esperava ver você aqui ainda depois de todos esses anos.

— Mudei-me para o lago em tempo integral faz alguns anos.

— Para morar com seus avós?

Na mesma hora, ela parou de sorrir. — Não — ela envolveu os braços ao redor de si mesma e disse: — Eles morreram há alguns anos também — a voz falhou ao contar para ele. — Acidente de carro.

— Brooke. Sinto muito. Judy e Frank eram ótimas pessoas.

Ele a abraçou, e ela poderia ter ficado ali, absorvendo o calor e a força dele para sempre. Em vez disso, ela se forçou a afastar-se de novo. — Estava pensando que não parecia certo não haver nenhum Sullivan na casa ao lado, e então, em um passe de mágica, você apareceu. Você deve estar louco para entrar na casa. Eu não entro lá desde que começaram a alugar para temporada. Quando colocaram a placa de VENDE-SE, dei uma fugidinha para olhar pelas janelas para ver se ainda parecia a mesma, mas estava tudo coberto e eu não consegui ver muito.

Ele ergueu a sobrancelha, e, pelo que pôde perceber em seus olhos negros, ele parecia se divertir com o que ela havia acabado de admitir. — Fugidinha? Olhar pelas janelas? Não se parece nada com a garotinha doce que eu conheci.

Ela lhe lançou um sorriso que esperava parecer atrevido, embora ela nunca tenha chegado nem perto de ser atrevida em momento nenhum da sua vida. — Não sou mais uma garotinha.

— Não — ele disse com a voz baixa, que a deixou com calor e frio ao mesmo tempo —, sem dúvida você não é mais uma garotinha.

Apesar do fato de ele não estar olhando para ela de forma provocativa, a intensidade do olhar a fez estremecer e mal conseguir respirar. Ela namorou vários homens desde a faculdade — homens seguros e estáveis, que seus pais aprovavam por completo —, mas nenhum deles a fez se sentir assim. Em especial com nada mais do que algumas simples palavras.

Selvagem.

A palavra ecoava mais uma vez em sua mente quando Rafe disse: — Entre comigo. Podemos olhar a casa juntos e ver como ela está.

Ela logo considerou voltar para sua própria casa e vestir algo por cima do biquíni, mas, já que estava conversando com alguém só de biquíni por tanto tempo, seria idiota começar a agir com pudor agora. Ainda mais que ele não estava pulando em cima dela ou algo assim. Além disso, não era esse o propósito do lago? Correr por aí em traje de banho o dia todo, vestindo jeans velhos e uma camiseta desbotada quando ficasse frio à noite para ignorar a brisa gélida?

— Eu adoraria — ela disse, e então eles entraram lado a lado pela porta da frente.

Passando a mão na porta, ele disse, mais para si mesmo do que para ela: — Precisa de uma pintura. Mia disse que a chave estaria escondida debaixo de uma pedra na entrada.

Brooke procurou na varanda com ele, mas não parecia ver nada que se parecesse com uma chave escondida. Ela estava prestes a descer para procurar no gramado na frente da casa e ver se a chave não teria voado durante uma tempestade de vento, quando Rafe tirou algo brilhando do bolso, girando-o na velha maçaneta.

Um pouco depois, a porta estava aberta.

Ela o encarou com surpresa. — Você arrombou a maçaneta?

— Ossos do ofício.

Antes que ela pudesse perguntar de que ofício exatamente ele estava falando, e se começava com *la* e terminava com *drão* por acaso, os dois deram a primeira olhada dentro da casa do lago.

Brooke ofegou, horrorizada, quando Rafe aproximou-se de algo que parecia ser os ossos de um animal morto. Ela mexeu no interruptor de luz, mas as lâmpadas não se acenderam. Deviam ter se estilhaçado ou sido arrancadas dos soquetes.

— Que diabos aconteceu aqui?

Brooke não podia culpá-lo pela reação ríspida. A velha mobília estava manchada e rasgada. Os tapetes tinham buracos, e ela tinha certeza de que havia alguns ninhos de animais no canto.

— Talvez precise apenas de uma boa limpeza — ela disse, tentando ver o lado positivo das coisas, como em geral fazia. Mas até mesmo ela conseguia ouvir como suas palavras soavam falsas. — Posso ajudar você — eles caminharam pela sala de estar e foram para a cozinha. — Tenho certeza de que não levaremos muito tempo para...

Ela parou de falar ao ver que não estavam faltando apenas os utensílios da cozinha, mas vários dos armários também haviam sido arrancados da parede. Quando tudo aquilo tinha acontecido? Durante as últimas festas dos locatários, que foram até tarde da noite no verão anterior?

Em silêncio, eles foram a cada um dos cômodos. Os quartos estavam, graças a Deus, vazios, embora um deles tivesse uma janela quebrada. Os dois banheiros estavam nojentos demais para entrar.

— Quem podia ter feito isso em uma casa tão boa? — Rafe disse, a frustração e mais do que uma pequena raiva sustentando cada palavra.

Ela queria tirá-lo da casa e envolvê-lo em seus braços, queria poder pensar em alguma coisa para dizer que o fizesse se sentir melhor. — Fique comigo, Rafe, enquanto você conserta esse lugar.

Quando seus olhos negros pararam nela de novo, e se demoraram ela por um momento se esqueceu de toda a casa caindo aos pedaços. A forma como ele olhou para ela, fazendo o olhar por fim descer do rosto aos seios, e descendo ainda mais, deixou sua mente vazia, suas mãos dormentes... e seu corpo todo aquecido.

Só quando ele disse "Você não precisa de mim pelo caminho, não importa quanto tempo demore para arrumar essa lixeira", foi que seu cérebro voltou a funcionar. Ele não era só um gostosão por quem ela não conseguia parar de babar. Era seu amigo.

E ela faria qualquer coisa por um amigo.

— Estou aqui ao lado, e tenho dois quartos vazios. Não faz sentido você ir para outro lugar, ou pensar em ficar aqui — ela acrescentou, com um calafrio de desgosto, diante do mero pensamento de montar uma cama improvisada no chão sujo ou em um dos sofás caindo aos pedaços.

Apesar de a oferta dela fazer sentido, ele ainda parecia estar travando uma batalha interna. Até que concordou. — Agradeço muito, Brooke. A única foto no anúncio era da fachada da casa, mas Mia e eu não achamos que fosse importante, porque a gente conhecia aqui tão bem — ele passou a mão pelos cabelos, ficando ainda mais sexy desalinhado assim do que estava antes.

— Com sinceridade, acho que a maioria dos locatários era gente boa, tirando os últimos — ela disse. — Mas nunca imaginei que tivessem feito isso durante as festas — percebendo que não estava ajudando ao falar no assunto o tempo todo, ela falou: — Que tal eu preparar um bom jantar para nós dois? Lembra que a minha avó costumava dizer que não há nada que uma massa caseira e um chocolate não possam consertar? — mesmo sabendo que não era bem assim, ele parecia tão chateado com o estado da casa que ela não conseguiu evitar acrescentar. — Talvez tudo pareça melhor pela manhã.

— Um jantar parece ótimo — ele disse quando afinal desviou o olhar dela para examinar o interior da casa mais uma vez —, mas não tenho muita esperança quanto ao resto.

Mais do que nunca, ela queria abraçá-lo. De certa forma — apesar da boa aparência e da forma selvagem como voltou para a cidade de motocicleta —, ele era o mesmo de quando eram crianças. Mas, de outra forma — a intensidade com que olhava para ela, junto com as finas marcas de expressão ao redor da boca, que lhe davam a sensação de não terem surgido de tanto sorrir —, parecia diferente.

Ela estendeu sua mão. — Vamos sair daqui.

Ele olhou para a mão dela por um longo momento antes de pegá-la. Seus dedos eram quentes e fortes ao envolvê-la. E foi aí que ela deu um nome para uma das maiores mudanças em Rafe: *perigoso.*

Quando garoto, ele era selvagem.

Agora ele era selvagem *e* perigoso.

A combinação excitava cada centímetro dela ao caminharem para fora da casa de mãos dadas, apesar de ela ainda conseguir sentir a ten-

são irradiando dele. Ele fechou a porta de frente e, mesmo não tendo a chave para trancá-la, isso não importava. Não havia nada dentro que alguém quisesse roubar.

Quando chegaram à varanda, ela se soltou da mão dele para se enrolar em uma toalha, prendendo a ponta debaixo do braço. Assim que ela se cobriu, Rafe pareceu ficar um pouco mais relaxado. Ela abriu a porta de sua casa e entrou, para que ele entrasse atrás.

— É bom ver que a sua casa continua a mesma.

— Pensei que fosse precisar atualizar algumas coisas, mas, assim que me mudei, percebi que era perfeita do jeito que estava — com qualquer outra pessoa, ela poderia até se sentir mal pelo fato de a casa do lago ter vindo para ela sem esforço, diferentemente da dele, mas ela sabia que Rafe não desejaria mal a ela nem a ninguém.

Indo rápido para a cozinha, ela abriu a geladeira e pegou uma cerveja. — Alguma chance de que isso ajude a afogar as mágoas da casa do lago?

— Depende. Quantas garrafas você tem aí?

Ela riu e admitiu. — Talvez não tenha o suficiente.

Quando ela lhe entregou a garrafa e as pontas dos dedos dos dois se tocaram, ela não ficou mais surpresa ao sentir outra onda de calor agitar seu corpo. Quando garotinha, ela sempre reagia de forma intensa em relação a Rafe. Agora que era mulher, fazia sentido que sua reação fosse tão intensa quanto... E que não se parecesse nada mais com uma paixão infantil.

— É melhor eu me vestir — mesmo assim, em vez de ir trocar de roupa no quarto, agora que estavam debaixo da forte luz da cozinha, ela não conseguia parar de encarar o homem mais bonito do mundo. Um homem que, ela tinha notado, não usava aliança.

Ela estava perto o bastante para estender a mão e segurar o seu rosto, marcado em abundância pela barba cerrada. Perto o bastante para aproximar-se e beijá-lo também. Ela estava chocada pela visão clara como cristal de Rafe arrancando seu biquíni, jogando-o no chão da cozinha enquanto ela ficava nua do outro lado do balcão e ele fazia coisas deliciosamente perigosas em cada centímetro do seu corpo.

Brooke hesitou, dividida entre beijá-lo e sair correndo. Mas no final, embora tudo o que conseguisse sentir fosse o gosto dos lábios dele nos seus, uma vida optando por escolhas seguras em vez de selvagens a fez recuar em vez de seguir em frente.

CAPÍTULO QUATRO

Jesus Cristo, quando foi que a Brooke se transformou na Marilyn Monroe?

Há vinte anos ela era uma criança fofa. Mas agora? Droga, agora ela era cada uma das suas fantasias mais obscenas ganhando vida.

Rafe saiu do centro da cozinha para aproximar-se da janela. Era mil vezes mais inteligente se concentrar no cenário surpreendente — e no fato de que a casa do lago, na qual ele havia gastado uma tonelada de dinheiro, estava uma completa e absoluta bagunça — em vez de pensar na mulher estonteante que estava em seu quarto no corredor, tirando os pequenos triângulos de tecido que mal cobriam os seios voluptuosos e os quadris. Contudo, mesmo saboreando os tons de rosa e laranja do pôr do sol no céu sobre o lago, um pôr do sol ainda mais bonito do que ele se lembrava de sua infância, tudo isso só o fazia voltar a pensar em Brooke... E que ela também estava mil vezes mais bonita do que ele jamais pensou que ficaria.

Ele tinha feito coisas idiotas na vida. Dormir com a ex-cliente, por exemplo. Mas seria mil vezes mais idiota se dormisse com a vizinha.

Ainda mais sendo ela tão doce e tão inocente como ele suspeitava que Brooke era, mesmo adulta.

E em particular por precisar ficar com ela agora, pois sua casa estaria completamente inabitável por pelo menos uma semana.

Ela foi uma linda menininha, mas seis anos eram uma grande diferença de idade quando ele tinha catorze e ela oito. Ela brincava de pazinha na areia com Mia enquanto ele arrumava encrenca com os irmãos.

Que diferença dezoito anos faziam. Uma baita diferença, dadas as curvas que o faziam quase engolir a língua ao olhar para ela e perceber quem era. Ele ainda conseguia ver a bela garota que ela foi na pura doçura do seu sorriso e dos enormes e sinceros olhos verdes. Apesar de toda a beleza exterior, as mulheres com quem ele costumava lidar pareciam mais velhas do que eram. Ao passo que Brooke, que ele duvidava muito ter um centésimo das vantagens financeiras de suas clientes, parecia feliz e com o coração leve.

E era por esse exato motivo que ele não podia sacaneá-la. É claro que seriam amigos, como sempre foram, mas ele não cometeria o erro de tocá-la de novo... Ainda que ela tivesse a pele mais macia que ele conseguia se lembrar de ter sentido em seus dedos.

O fato era que ficar perto dessa tentação era má ideia. Uma ideia muito ruim mesmo. Mas ele não conseguia pensar em uma forma de explicar os riscos em potencial da situação deles sem fazê-la pensar que ele era o maior canalha do mundo. O que iria parecer se ele dissesse *Estou com medo de perder o controle e convencer você a fazer coisas obscenas comigo que a farão me odiar pela manhã.*

Dava para imaginar a forma como sua bela expressão ficaria cheia de desgosto se ela se perguntasse quais exatamente eram as coisas obscenas que...

Ele estava tão concentrado em tentar forçar suas visões cheias de luxúria desaparecerem que não a ouviu voltar à sala: — Você deve estar morrendo de fome depois de ter dirigido de Seattle até aqui — ela trocou o biquíni supersensual por um legging preto e um camisão de manga comprida que deveria ter facilitado para ele esquecer como ela era linda, mas só faziam um cara pensar mais na pele macia debaixo do tecido.

Por anos ele observou mulheres calcularem seu valor pelo lance mais alto e então se perguntarem por que não funcionou com o executivo da empresa que laçaram por cálculo. Era natural para ele supor que Brooke sabia com precisão o que estava fazendo.

Mas nada na forma como ela se comportava desde o primeiro momento relacionava-se a cálculo. Ela não tinha fingido o prazer nos olhos ao vê-lo nem tinha se jogado em seus braços para excitá-lo... Mesmo tendo sido bem isso o que aconteceu. E, sem dúvida, ela não estava usando um biquíni como aquele para exibir-se, pois nem sabia que ele iria aparecer naquele dia.

Ao entrar na cozinha e pegar um livro de receitas caindo aos pedaços que ele meio que se lembrava de ter pertencido à avó dela, ele indagou: — Posso ajudar em quê?

Ela o dispensou com a mão e ofereceu o banco do bar, do outro lado da ilha da cozinha: — Você ajuda terminando a cerveja.

Rafe não conseguia se lembrar da última vez em que tinha se sentido tão à vontade e tão no limite ao mesmo tempo. Sem dúvida, essa sensação de limite era apenas porque ele era um canalha que não conseguia desligar a libido por três segundos ao redor de uma velha amiga.

Ele se sentou ao lado do balcão da cozinha e afinal percebeu as tigelas de aço inox secando na pia. Para que servem?

— Chocolate — ela sorriu, um sorriso belo que o fazia sentir quase todas as coisas estranhas que sentia ao olhar para as curvas dela. — Faço trufas para vender.

— Você e sua avó sempre faziam — ele lembrou, odiando a forma como a luz nos olhos dela desaparecia quando ele mencionava os avós.

— Era o passatempo predileto dela. O meu também — ela disse com um sorrisinho, enquanto se esforçava para espantar a tristeza. Ela passou os dedos sobre a capa artesanal de madeira do velho livro de receitas. — Meu avô fez isto para minha avó com as próprias mãos e até entalhou as iniciais dos dois neste coração aqui na frente. Vivo pensando em levá-lo em algum lugar para ver se dá para consertar esta rachadura, mas, na verdade, não quero deixá-lo longe da minha vista por muito tempo nem deixar que outras pessoas toquem nele — ela abriu o livro e mostrou a ele a receita de trufa com a caligrafia da avó. — Depois que meus avós morreram, decidi me mudar para cá e transformar o sonho dela em realidade para nós duas. Todos os dias, quando faço trufas, penso no nosso ritual diário ao comermos o pedaço perfeito de chocolate caseiro — os olhos dela ficaram ainda mais suaves. — Lembro-me do sabor inicial na minha boca, derretendo devagar, parecendo despertar meu corpo inteiro. Um sabor marcante e submerso que se prolongava na boca.

Só de ouvir Brooke falar em comer a trufa já era a experiência mais sensual da sua vida. Quando ela se virou para pegar os ovos na geladeira e a farinha do armário próximo para fazer a massa que prometeu para ele antes, Rafe teve que trabalhar como louco para fazer seu corpo e cérebro obedecerem e recuarem do desejo incessante por ela.

— O que... — ele tinha que disfarçar a luxúria na voz —, o que você fazia antes e onde?

— Recursos humanos em Boston.

Ele pensou por um segundo e decidiu que, enquanto recursos humanos parecia ser a carreira perfeita para a personalidade alegre por natureza de Brooke, não dava para imaginá-la em um escritório, vestindo terninho. A risada dela seria abafada pelas quatro paredes e pelo ar-condicionado.

— Você consegue imaginar o quanto meus pais ficaram animados quando decidi largar tudo para subir a escada do mundo corporativo das trufas. É evidente que eles não me mandaram para uma faculdade cara para fazer trufas em casa — ela disse, rindo, antes de se aproximar como se fosse contar um segredo. — Eles nem gostam de chocolate. Dá para acreditar?

Tudo o que ele tinha que fazer era se inclinar um pouco mais, e poderia beijá-la. Era só pressionar os lábios nos dela para ver se tinham o sabor tão bom quanto parecia.

— Isso é uma loucura! — ele disse, mas não estava falando dos pais dela nem de carboidratos. Não, ele estava lembrando a si mesmo que beijar a vizinha incrivelmente doce era loucura.

— Você gosta, não é? — a voz dela tinha um tom rouco que reverberava direto em sua virilha.

Como ele era um idiota, não conseguia desviar o olhar dos olhos verdes dela. — De quê?

Ao ver os lábios carnudos se abrirem para a resposta, ele quase perdeu o controle quando ela disse: — Chocolate.

Sabendo que perderia o controle se falasse outra vez, ele só assentiu.

Infelizmente, quando ela sorriu, a sensação foi a mesma que teve com a rouquidão da sua voz.

— Bom. Então talvez você possa ser o degustador das novas receitas em que estou trabalhando neste verão.

Era fácil para Rafe imaginar Brooke segurando a ponta do dedo coberta de chocolate para ele provar. Claro, em sua visão, ela também estaria toda nua. Sua boca encheu-se de água, a virilha ficou ainda mais tensa, e ele teve que pegar a cerveja para tomá-la de uma vez só antes que pudesse responder.

— Não entendo nada de chocolate.

— Na verdade, é melhor assim. Não há nada pior do que um palato supereducado tentando dissecar tudo. Não estou nem aí para glamour ou prêmios. Tudo o que eu quero é levar prazer às pessoas.

Ouvir a palavra *prazer* da sua boca maravilhosa o deixava excitado de um jeito que ele não se lembrava de ter ficado antes. Mais uma vez ele pensou que qualquer outra mulher faria isso para excitá-lo de propósito. Mas Brooke estava apenas começando a enrolar a massa na máquina, parecendo linda e brilhante na cozinha de seus avós.

Que diabos havia de errado com ele, pensando que tudo o que ela disse ou fez até o momento era para excitá-lo? Até hoje ele se achava superior aos babacas ricos que investigava, que pensavam com o pinto e transavam com qualquer coisa em que pudessem pôr as mãos. Mas ele nem conseguia ser amigo de uma moça bonita sem pensar em despi-la.

— Na verdade — ela disse —, a melhor forma de fazer um teste de paladar é de olhos vendados — lançando a ele um olhar brincalhão, ela abriu uma gaveta da cozinha e pegou um pano de prato. — É provável que funcione se você estiver a fim de provar umas trufas da minha nova receita mais tarde.

Rafe balançou a cabeça, negando, na mesma hora. — Experimento de bom grado suas novas receitas, mas não vou usar venda.

— Ah! — ela disse, guardando com cuidado o pano de prato na gaveta. — Tudo bem.

Como ele poderia explicar que não confiava mais em ninguém o suficiente para deixar a pessoa vendá-lo de boa vontade, retirando-lhe um dos sentidos? Concluindo que era melhor mudar o assunto naquele momento, ele disse: — Da última vez em que a vi, você tinha oito anos e nadava como um peixe — de alguma forma, ele precisava se lembrar de olhar para ela como se fosse uma garotinha, em vez da mulher maravilhosa em que tinha se transformado.

— E você era um rapaz de catorze anos que se metia em mais encrenca do que qualquer outra pessoa.

Ela disse a frase com leveza, mas a ideia de se meter em encrenca com ela fazia seu corpo se aquecer em todos os lugares em que ele estava tentando forçar um esfriamento.

Foco. Era disso que precisava ao estar tão perto assim de Brooke.
Manter o foco em qualquer coisa menos na beleza dela, na maciez da sua pele, na doçura do sabor da sua boca, na sensualidade surpreendente ao manusear a massa com as mãos...

De que diabos eles estavam falando? Ah, sim, do que tinham feito nos últimos dezoito anos. Em vez de responder à pergunta sobre encrenca, enquanto ignorava o leve ardor na cicatriz acima das costelas, que provava que ele ainda não sabia como tinha se safado, Rafe perguntou: — Onde você vende os chocolates? Você tem uma loja na cidade?

Ela balançou a cabeça em sinal negativo: — Forneço caixas para as mercearias locais e lojas de presentes. Mas — ela acrescentou com um sorriso que, é óbvio, demonstrava orgulho e alegria — acabei de entrar em uma sociedade e nós vamos abrir uma loja de varejo em Seattle.

Rafe sabia que era melhor não meter o nariz na vida pessoal ou nos negócios de ninguém a menos que fosse contratado para isso, ninguém queria conselho gratuito, mas Brooke era sua amiga. E ele não conseguia suportar a ideia de alguém tentando tirar vantagem dela.

— Parabéns. A outra parte da sociedade vai cuidar de que tipo de coisa?

— Toda a parte financeira — ela disse, como se não fosse nada demais entregar todo seu dinheiro para que outra pessoa cuidasse. — Canais de distribuição. Embalagens. Administração da loja.

— Você confia nela tanto assim?

— Nele — ela esclareceu, antes de acrescentar —, e sim, ele foi colega do meu pai em Harvard e tem uma ótima reputação no mundo do varejo alimentício. Por que eu não confiaria nele?

Rafe pensou em uma centena de razões possíveis, mas, antes que pudesse listá-las uma a uma, ela começou a deslizar as tiras de espaguete em uma panela com água que estava fervendo e perguntou: — Agora que você ouviu a minha história, conte-me a sua.

— Tenho uma agência de investigação particular.

— Eu devia ter adivinhado — ela disse com um enorme sorriso. — É o trabalho perfeito para você.

— O que a faz pensar que é perfeito para mim?

Ela lhe lançou um estranho olhar, como se não pudesse acreditar no que ele estava perguntando. — Sempre que a gente brincava de esconde-esconde, você sempre vencia, pois conseguia juntar as pistas quando ninguém mais conseguia.

— Era só uma brincadeira de criança, Brooke. E você estava sempre rindo e se entregando.

A risada dela, agora adulta e cheia de uma sensualidade que ele não conseguia deixar passar, o dominava. — Você não se esqueceu do seu apelido, esqueceu?

— Não, mas esperava que você tivesse se esquecido.

— Nem pensar, *Rastreador.*

Ele bufou. — Lembre-me de estrangular Mia da próxima vez que a vir por ter inventado isso.

— Tenho certeza de que só a sua família e a minha sabem — ela garantiu. — Apesar de ninguém jamais ter se esquecido da forma como você encontrou aquele garotinho assustado nas montanhas.

Os pais dele tinham acabado de contar que eles perderiam a casa do lago. Rafe tinha fugido para as montanhas a fim de tentar sufocar a ideia de perder o único lugar que parecia um lar de verdade para ele. Ele encontrou a equipe de resgate tentando localizar o garoto perdido, cuja família passava férias no lago. Pelo que sabiam, o garoto estava correndo atrás do cachorro quando eles deixaram a casa alugada. O cachorro voltou, mas o garoto, não. A equipe temia que o menino franzino, de cinco anos de idade, não conseguisse sobreviver durante a noite usando somente bermuda e camiseta. Jovem o suficiente para correr, e para continuar correndo por mais que fosse parar em becos sem saída, Rafe usou suas habilidades de rastreador para localizar o garotinho. Quarenta e cinco minutos depois, ele o encontrou tremendo com as marcas das lágrimas já secas em suas bochechas.

— Ser detetive particular em Seattle parece uma versão adulta do que você costumava fazer.

Rafe passou a vida vendo as pessoas ignorarem todas as pistas ao seu redor. Mas Brooke parecia não deixar nenhuma escapar. O que também significava que era improvável que ela não percebesse a clara atração que sentia por ela.

— Contudo, eu tenho uma pergunta para você — ele esperava que ela fosse fazer as perguntas que as pessoas em geral faziam, tais como pedir para ele contar histórias excitantes que ele não tinha vontade de contar havia muito tempo. — Você me ensina a arrombar uma fechadura?

Sentindo que seria corrompê-la ensinar algo assim, ele disse: — Você não precisa saber fazer isso, Brooke.

De um modo estranho, ela pareceu um pouco desapontada com a resposta, mas, em vez de insistir, perguntou: — Você acha que vai conseguir ficar longe do escritório por quanto tempo?

— Algumas semanas. Tenho meia dúzia de ótimos funcionários que estão cuidando do escritório para mim enquanto estou aqui.

Ela lançou a ele um olhar cheio de expectativa, como se esperasse que ele contasse a ela mais sobre a sua carreira de detetive particular, mas Rafe não sentia vontade de falar nisso. Ele não havia contado a ninguém que estava descontente com a sua carreira. Nem para seus empregados. Nem para seus amigos. Nem para sua família. Ele apenas continuou fazendo seu trabalho, mesmo sem conseguir mais se lembrar por que queria continuar fazendo aquilo em primeiro lugar.

Por sorte, em vez de fazer perguntas às quais ele não queria responder sobre a razão de não ficar entusiasmado sobre o seu emprego, ela disse: — Fiquei tão surpresa quando sua família vendeu a casa. Senti tanto a falta de vocês.

Foi então que ele percebeu que ela não sabia o que tinha acontecido. — No inverno seguinte ao último verão que passamos aqui, meu pai perdeu o emprego. E ele não conseguia arrumar outro que se aproximasse do que ele ganhava antes.

Ele não contou que, na verdade, o banco tinha tirado a casa deles... E que o estresse de mal conseguirem manter as contas pagas e depois precisar fazer empréstimos com os amigos tinha deixado seu pai com os cabelos grisalhos.

— Sinto muito por isso. Espero que não tenha demorado muito para as coisas se ajeitarem para você e sua família.

— Meu pai acabou arrumando um emprego, ganhando pouco para um chefe que não estava no mesmo nível dele. — E o Ian começou a trabalhar quando estava na faculdade, o que ajudou — seu irmão mais velho tinha perdido a chance de jogar futebol profissional para ajudar a família, mas nunca reclamou disso.

Brooke não pareceu surpresa em ouvir aquilo. — Ian era bem mais velho, mas sempre se certificava de que as crianças maiores na praia não mexessem comigo e com Mia.

Aquela era a descrição exata do seu irmão mais velho. Ele cuidava das pessoas que amava — não importando o quanto isso pudesse custar a si mesmo.

— O que ele faz agora?

— Ian dominou sozinho o mundo dos negócios com seu fundo de capital de risco. Ele é ótimo em qualquer negócio em que resolve entrar.

— Ele também mora em Seattle?

— Não, no momento está morando em Londres.

— Queria tanto não ter perdido o contato com todos vocês. E os outros? Como estão?

— Mamãe e papai se aposentaram faz um tempo — porque Ian os tinha forçado a isso. Não que eles se importassem de trabalhar no jardim e de passear com o clube de vela em um dos barcos do Dylan.

— Eles ainda são apaixonados e felizes?

Pela forma como ela fez a pergunta, Rafe adivinhou que Brooke tinha fé. Não só que o amor fosse possível... Mas que também pudesse durar a vida toda. O que ela pensaria se ele contasse as histórias do seu trabalho sobre os homens e as mulheres que fizeram juras eternas um ao outro e se separaram no primeiro sinal de problemas?

Mesmo assim, apesar de todo o seu ceticismo, Rafe tinha que admitir: — São.

Ela pareceu bastante satisfeita em ouvir aquilo. — Ainda me lembro da forma como eles caminhavam na praia de mãos dadas e se beijavam quando achavam que ninguém estava olhando. E eles davam uma fugidinha para ficar sozinhos enquanto vocês estavam ocupados assando marshmallows na fogueira. Era tão romântico.

— O que era romântico para você era repulsivo para os filhos deles — ele contou, mas não disfarçou a afeição na voz ao falar dos pais.

Ela riu disso, mas contou: — Nunca vi meus pais se beijarem. A única vez que eles pareceram verdadeiramente apaixonados um pelo outro foi quando estavam debatendo casos jurídicos ou curvas de oferta e demanda. Não acho que teria me importado em ver um pouco de romance de vez em quando. Falando em romance — ela disse, antes de fazer uma pausa por um momento e de suas bochechas enrubescerem de leve —, e quanto a você e seus irmãos? — seu sorriso parecia um pouco brilhante demais ao perguntar. — Alguém se casou? Filhos?

— Bem, Ian foi casado por pouco tempo, mas agora somos todos livres e selvagens.

— *Selvagens?* — ela quase engasgou com a palavra.

— Mia tem metade dos homens de Seattle na palma da mão, e não está nem aí para nenhum deles.

Brooke franziu a testa. — Mas ela é feliz?

— Acho que sim — apesar de que o lampejo de emoção visto em seus olhos quando ela foi visitá-lo no escritório no dia anterior o fez pensar se era verdade mesmo. — Ela é a corretora mais indicada em Seattle para propriedades de luxo.

— Eu adoraria vê-la outra vez.

— Assim que eu contar que você está aqui, tenho certeza de que ela vai largar tudo para vir fazer uma visita.

O que seria uma coisa muito boa, ele imaginou. Se a irmã estivesse ali, não haveria jeito de Rafe nem sequer agir errado com Brooke ao tirar suas roupas, usando-as para amarrá-la à cabeceira da cama.

— E o Adam? Não, espere — ela disse —, deixe-me adivinhar. Ele é arquiteto?

Rafe ficou surpreso com a perspicácia de Brooke, ainda mais considerando que ela era apenas criança quando conviveu com sua família. — Chegou perto. Ele restaura casas históricas.

Ela assentiu, como se fizesse todo o sentido. — Ele estava sempre construindo coisas quando éramos crianças. Eu o via trabalhando com o vovô para consertar canos quebrados, arrumando o forro de madeira ou tentando fazer uma canoa.

— O bom é que ele é melhor consertando casas do que construindo barcos. Aquela coisa ainda deve estar no fundo do lago.

— Ele não estava namorando sério a garota do outro lado do lago?

Será que a Brooke tinha uma queda pelo Adam quando era criança? Se teve, por que isso importava? Rafe não era o tipo de pessoa que queria ter direitos sobre uma mulher, mesmo que o homem das cavernas dentro dele quisesse fazer exatamente isso.

— Ele namorou, mas a história acabou quando fomos embora daqui.

— Vocês são todos tão bonitos, não entendo por que... — Ela pareceu perceber o que estava dizendo um pouco tarde demais, e ficou corada de vergonha. — Só quis dizer que achava que havia mulheres fazendo fila na porta de vocês, então... — Ela corou ainda mais. — Argh. Melhor parar de falar. Só estou piorando as coisas.

Droga, ela era fofa. E sexy. Quem diria que essa seria uma combinação tão irresistível?

E a verdade era que ele estava surpreso com ela. Ele achou que já estaria casada com algum cara perfeito, com uma criança nos braços e outra menor agarrada à sua perna.

Estranho como era fácil imaginá-la com filhos, sabendo que seria uma ótima mãe. O cara, por outro lado, não dava para imaginar. Não quando não havia muitos caras por aí que pudessem ser bons o suficiente para Brooke.

— Você se lembra dos meus oito primos de São Francisco?

Ela sorriu. — Nossa, a semana que eles vieram visitar vocês foi uma loucura. Sempre pensei que seria maravilhoso ter todas aquelas crianças para brincar, cinco da sua família e oito da deles.

Rafe às vezes se esquecia de que não era todo mundo que tinha uma família como a dele. Brooke só tinha os pais e os avós.

Sabendo que ela ficaria feliz com a notícia, ele disse: — Todos eles já estão comprometidos.

Ele nunca ficou com uma mulher em quem pudesse confiar por inteiro, mas conseguiu deixar essa descrença de lado por causa de seus primos sortudos de São Francisco. Como seus pais, eles eram uma exceção. Ao mesmo tempo, ele não conseguia entender como eles todos decidiram correr tamanho risco. Se havia algo que ele tinha aprendido nos últimos sete anos era que, mesmo que uma pessoa quisesse ter um relacionamento sério, havia chance de a outra pessoa não querer. Com certeza, ele esperava que os primos continuassem provando que estava errado.

— Todos os oito? Que maravilha! — Como ele esperava, ela pareceu bastante satisfeita com a ideia de tantos casais felizes em uma só família. — E o Dylan? — Ela torceu o nariz. — Apesar de eu não ter certeza de tê-lo perdoado por ter me levado para velejar naquele dia em que os ventos estavam a vinte nós. E ele disse para todo mundo que eu vomitei no barco.

— Só para você se sentir melhor, ele continua levando mulheres para passear de barco até vomitarem, o que talvez explique por que continua solteiro — ela riu com as palavras dele. — A única diferença agora é que ele constrói barcos.

Brooke ainda sorria enquanto escorria a água da panela e acrescentava manteiga e queijo e uma pitada de pimenta à massa. — E, após esse comentário fantasticamente apetitoso, o jantar está enfim servido.

Quando Rafe experimentou a massa, quase gemeu de prazer. — Está bom demais, Brooke.

Parecia que ela havia acabado de ganhar na loteria. — Obrigada.

Eles jantaram em um silêncio amigável enquanto apreciavam o som dos sapos e dos grilos lá fora. Por fim, ela afastou o prato, que ainda estava meio cheio, e bocejou. — Desculpe, tive que acordar cedo para terminar de embalar alguns pedidos para entregar antes de as lojas abrirem hoje.

— Você acordou a que horas?

— Às cinco.

— E ficou acordada até tarde por minha causa. Você precisa ir para a cama — ele se levantou e levou os pratos para a cozinha. — Eu cuido da louça.

— Você veio de moto de Seattle até aqui. — Ela se aproximou dele para abrir a torneira e começar a lavar a louça. — Deve estar cansado também.

O primeiro erro dele foi colocar as mãos na cintura dela para afastá-la da pia.

O segundo foi não soltá-la.

E o terceiro foi quase ter abaixado a boca na altura da dela.

De alguma forma, ele conseguiu dar um passo para trás. — Obrigado pelo jantar. Estava ótimo. — Ele se forçou a desviar o olhar do belo rosto e das curvas que não saíam da sua frente. — E obrigado por ter me oferecido um lugar para ficar. Agora eu vou lavar os pratos, e você vai para a cama.

Sozinha, droga.

— Você não experimentou uma das minhas trufas ainda. Quer uma de sobremesa?

Apesar de estar com fome de algo que ele sabia que era muito mais doce que chocolate, ele respondeu: — Eu adoraria.

— Estou pensando em qual sabor devo oferecer. — Ele lambeu os lábios ao olhar para ela, e não conseguia desviar o olhar do lábio inferior carnudo nem do belo arco no centro do lábio superior. — Como você gosta dos temperos?

— Apimentados.

Seus lindos lábios curvaram-se. — Eu tinha a sensação de que você diria isso. — Ela tirou um pedaço de chocolate com uma espiral vermelha de cima de um recipiente plástico no balcão. — Experimente esta aqui.

Ela não entregou o chocolate para ele, mas o levou até a boca de Rafe. Ele se inclinou para dar uma mordida. Pimenta e calor tomaram conta da sua boca no mesmo instante, seguidos do sabor rico e suave do chocolate amargo.

— Gostou, não é?

Com a boca cheia, ele só conseguiu assentir.

— Coma o restante.

A voz dela era rouca, e, embora a trufa estivesse maravilhosa, ele queria mesmo era dar uma mordida nela. Quando ela se aproximou um pouco mais para lhe dar a outra metade do chocolate, o doce aroma do cabelo e da pele dele fizeram se inclinar um pouco para que sua língua lambesse a ponta do dedo dela.

Suas pupilas se dilataram, e ele podia jurar ter ouvido uma respiração um pouco acelerada dos lábios dela pelo pequeno contato.

De alguma forma, ele convenceu seus pés a darem um passo para trás mais uma vez. — Suas trufas são deliciosas, Brooke.

— Obrigada.

Eles ficaram se encarando por vários minutos calorosos. — Você ficou acordada até tarde por minha causa. Vá dormir — *antes que eu faça mais do que lamber seu dedo.*

— Você pode ficar em qualquer um dos quartos de hóspedes e me fale se precisar de alguma coisa. — Ela fez uma pausa e olhou profundamente para ele com seus enormes olhos verdes. — Qualquer coisa mesmo.

A cabeça dele se encheu de ideias com todas as coisas de que ele precisava dela. Encurralá-la na parede. Pressionar seu corpo junto ao dele com as coxas entre as dela. Tirar a camisa de manga longa pela cabeça dela. Abaixar a boca até a altura dos seios dela. Sentir o doce sabor da sua respiração ofegante e dos suspiros enquanto banhava sua pele com a língua. Levantá-la em seus braços, antes de deitá-la na cama. Usar sua camisa para amarrar seus braços sobre a cabeça na cabeceira da cama. E então amá-la como nunca com as mãos e a boca até ela implorar por mais. Por todo ele.

— Não vou precisar de nada. — As palavras saíram mais ríspidas do que deveriam, mas foi só porque ele estava a meros segundos de perder todo o controle para agir da forma como seu cérebro tinha acabado de imaginar.

— Tudo bem. — A boca de Brooke começou a se transformar em um sorriso, mas parou na metade do caminho. — Boa noite, Rafe.

Por um momento, ele pensou — rezou — que ela se viraria e sairia da sala sem lhe dar um abraço de boa-noite. Mas, então, ela foi se aproximando cada vez mais e envolveu os braços ao redor dele. E é claro que ele tinha que fazer o mesmo.

Já que estava ali, não podia fazer mais nada além de respirar fundo para senti-la... Saboreando cada centímetro do corpo dela contra o seu.

— Boa noite, Brooke.

Quando ela afinal tirou os braços dele e foi para o quarto, ele terminou de limpar a cozinha. Não levou muito tempo lavando os pratos, mas, antes de ir para o quarto de hóspedes, deu uma rápida olhada na casa. Primeiro, viu se todas as janelas estavam trancadas, e é lógico que a maioria não estava, e depois a fechadura da porta da frente.

Quando eram crianças, o lago era um lugar seguro, mas, depois de ter trabalhado como policial e agora como detetive particular, Rafe não confiava mais em segurança, nem mesmo em uma cidade sonolenta como aquela. Ele não conseguia suportar a ideia de algo acontecer com Brooke sozinha em um trecho de estrada deserto a maior parte do tempo. A primeira coisa que faria no dia seguinte seria comprar fechaduras melhores.

A viagem até o lago foi boa, mas muitas horas na motocicleta poderiam ser bem exaustivas. Mesmo assim, ele sabia que, se fosse dormir agora, só conseguiria ficar ali deitado pensando na bela mulher no corredor, então começou a fazer flexões até ficar com o suor escorrendo pelo corpo. Depois fez abdominais, cem e depois mais cem, até sentir a barriga arder tanto quanto seus braços. Na hora em que terminou a malhação improvisada, ele tomou o banho muito necessário e foi para cama, pois deveria estar cansado o suficiente para dormir.

Quando fechou os olhos, viu Brooke em pé, com o biquíni molhado, a expressão inocente logo de cara e mesmo assim naturalmente sensual. Ele ficou no quarto de hóspedes menor, que era bem longe do dela. A cama de casal mal deixava espaço para uma cômoda e um criado-mudo, mas, com franqueza, ele não confiava em si mesmo para dormir apenas a uma parede de distância dela. Não se isso significasse que ele conseguiria ouvi-la toda vez que ela rolasse na cama. Não se isso significasse que ele seria incapaz de parar de imaginar se ela tinha colocado o pijama... Ou se teria dormido nua como ele.

Tonto com todo o desejo que não estava conseguindo abafar nem um pouco, Rafe fechou os olhos de novo e se forçou a dormir.

Ele precisaria de muita força no dia seguinte para manter as mãos longe de Brooke.

CAPÍTULO CINCO

Na manhã seguinte, Rafe acordou com o som do chuveiro ligado. Apesar de estar bem fresco na casa, ele estava suando. Nunca imaginou que teria esse tipo de reação por Brooke, mas isso não mudava o fato de estar acontecendo.

Com raiva de si mesmo, ele pegou o jeans e tirou o celular do bolso. A irmã atendeu ao primeiro toque: — Como vai o lago?

— O lago está ótimo. O problema é a casa.

Ele esperou pela exclamação de surpresa dela, ou que ela perguntasse qual era o problema exato. Mas tudo o que Mia disse foi: — Quando consegui falar com a corretora ontem à noite, ela mencionou que a casa precisava de um cuidado a mais.

— Cuidado a mais? — Ele teria rido alto do ridículo eufemismo se não estivesse tão dominado pelo desejo pela bela mulher totalmente fora de alcance no chuveiro no final do corredor. — Você devia ter visto a cara da Brooke quando entramos lá, pisando em restos de guaxinins mortos.

Mia não comentou nada sobre os restos dos animais, não quando seus ouvidos tinham se concentrado em uma razão completamente diferente. — Espere aí, a Brooke ainda mora na casa ao lado?

— Ela se mudou para cá há alguns anos, depois que os avós morreram e deixaram a casa para ela. — Como Mia expressou um som de tristeza ao ouvir que Judy e Frank estavam mortos, ele acrescentou: — Brooke faz trufas para vender.

— Trufas de chocolate? — Quase dava para ver a irmã babando ao telefone. — Parece que vocês dois colocaram a conversa em dia ontem à noite — ela disse, com certo sarcasmo. E ele conhecia bem aquele tom de voz para nem dar atenção.

— Ela me convidou para ficar na casa dela até eu dar um jeito na minha e poder me mudar para lá. Acho que vai levar no mínimo uma semana, se eu trabalhar o dia inteiro todos os dias.

— Uau, que ótimo que você vai ficar com ela — disse a irmã, com um tom de voz sugestivo.

Mas ele ia ignorar o tom, da mesma forma que estava ignorando as sugestões da sua própria mente sobre todas as coisas supersensuais que ele e Brooke poderiam fazer juntos. Conhecendo Mia, ela usaria sua irritante intuição de irmã mais nova para perceber por telefone mesmo seus pensamentos inadequados pela vizinha, e ele nunca mais iria se livrar dela.

Ele tinha ligado para a irmã para reclamar sobre o estado da casa que ela comprou com o dinheiro dele, não para falar de Brooke. Mas, de alguma forma, tudo sempre acabava voltando para a bela nova vizinha, não importava o que ele fizesse. Voltando o foco para a casa, ele enfim começou a explicar o estado de depredação quando o telefone da irmã bipou para avisar o recebimento de outra chamada.

— Tenho que retornar essa ligação, Rafe, mas não se preocupe, não vou deixar você me esperando na linha. É muito bom saber que a Brooke está cuidando de você. Diga olá para ela. Mal posso esperar para vê-la.

O chuveiro desligou no instante em que a irmã também desligou. Rafe teve a sensação de que a visita de Mia ao lago teria muito mais a ver com espionar o irmão e a velha amiga do que com ajudá-lo a consertar a casa caindo aos pedaços.

Sabendo que era melhor não deixar o pensamento parar na fantasia de Brooke saindo do chuveiro para secar a pele nua com a toalha, ele logo vestiu a camiseta e foi para a cozinha preparar o café da manhã para os dois.

Havia várias massas de pão descansando — quando foi que ela fez aquilo? E tudo o que ele conseguia pensar era que a casa tinha cheiro de lar. Sua mãe sempre fazia pão, e o cheiro familiar fluía dentro dele, passando por todas as porcarias com as quais ele tinha lidado nos últimos anos e indo parar na parte dele que era infantil e inocente e que ele pensava estar perdida por completo.

Ele se perguntava como é que um simples aroma podia fazer isso com ele.

Rafe balançou a cabeça para espantar os pensamentos loucos. Quando Brooke entrou na cozinha exalando frescor e beleza de regata e short, ele já havia preparado ovos mexidos e torrada com bacon, que estavam servidos na bancada para os dois.

— Você fez o café da manhã — ela parecia tão satisfeita quanto se ele tivesse comprado para ela uma pulseira de diamantes.

— Não dava para saber se você tinha comido quando levantou para fazer os pães — ele apontou para as massas que cresciam no peitoril da cozinha —, mas parece que não comeu.

— Meus Deus, não. Quem consegue comer tão cedo assim?

Ela se sentou em um dos banquinhos e na mesma hora se entregou ao café da manhã com um gosto que era raro ele ver nas mulheres que namorava. Não que ele e Brooke fossem namorar, nem agora nem nunca, é claro.

Depois de mastigar um pedaço de bacon, ela disse: — Se algum dia você se cansar de investigar os malvados, devia pensar em abrir um café. Prometa-me que, quando voltar para sua casa, vai vir aqui fazer café da manhã para mim de vez em quando.

Rafe não mais colocava muita fé em promessas, não quando via as pessoas quebrando juramentos todos os dias. Mas ele tinha a sensação de que Brooke acreditava, e parecia que, quando fazia uma, nunca a quebrava. Não importava o que acontecesse.

— Sem dúvida — ele disse, e quando ela sorriu para ele, ocorreu-lhe que parecia um pouco cansada. Será que ela teve problemas para dormir também? Em caso afirmativo, será que suas razões eram parecidas com as dele?

Graças a Deus o dia seria longo e exaustivo quando ele começasse a limpar a casa. A melhor das hipóteses era que ele iria trabalhar tanto e até tão tarde que só teria energia para cair na cama... E dormir sem sonhar com Brooke.

— Estava pensando... — ela disse depois de comer apenas a metade do que havia no prato. — Enquanto você joga fora a mobília, eu poderia ir limpando, que tal? Tenho a impressão de que, se nos livrarmos da poeira e da fuligem dos pisos, dos balcões e das paredes, já teremos uma grande diferença.

— Você já me arrumou um lugar para ficar. Não posso permitir que largue tudo para limpar a minha casa nojenta também.

— E eu não posso deixar você lidar com aquele lugar sozinho. Além disso, já fiz todas as minhas entregas da semana, então posso tirar um dia ou dois de folga sem problemas.

Ela ainda era fofa, além de sexy para caramba, mas também era teimosa demais para ele saber que não iria ganhar essa. Infelizmente, um dia cheio da proximidade dela não iria ajudá-lo a frear toda a atração que sentia.

Ao mesmo tempo, saber que ela estaria ali com ele tornaria a tarefa menos assustadora.

— Obrigado — ele disse, afinal: — Mas primeiro eu preciso ir até a loja de ferramentas comprar fechaduras novas para suas portas.

Ela olhou para a porta da frente e depois para ele, mostrando-se confusa. — O que há de errado com as minhas fechaduras?

— Tudo.

— Quase nunca tranco as portas mesmo. Ninguém por aqui tranca. Você sabe disso.

— Talvez aqui fosse um lugar seguro quando éramos crianças, mas não quero correr riscos agora.

Era Rafe que conseguia ver através das pessoas, que conseguia reconhecer segredos e mentiras apenas com o olhar. Mas, quando Brooke olhava para ele, parecia que seu olhar penetrava fundo.

— Esta cidade ainda é segura, Rafe, como era quando éramos crianças.

— Deixe-me colocar as fechaduras nas suas portas, Brooke.

Ela pensou por um momento antes de acabar concordando. — Tudo bem — infelizmente, o alívio que ele sentiu foi contraposto pela honesta admissão —, mas é bem capaz de eu me esquecer de usá-las, então não sei se serão tão eficientes se algum louco aparecer na cidade e decidir entrar aqui para me atacar.

Rafe mal conseguia controlar a fúria só de pensar que algo pudesse acontecer com a mulher confiante demais sentada de frente para ele. — Jamais brinque com algo assim. Não tem graça.

Entrar na cozinha e encontrar Rafe fazendo café da manhã parecia um sonho, em particular considerando os ovos mexidos maravilhosos que ele fez. Com aquelas mãos grandes e a beleza rústica, ela imaginava como as mulheres deviam se jogar em cima dele... E quantas ele já deveria ter levado para a cama.

Parecia tão natural tê-lo em sua casa — dois amigos que tinham tido a sorte de se reconectar depois de tantos anos de separação — que Brooke se viu questionando tudo o que sentiu na noite anterior. Será que Rafe era de verdade mais sombrio e mais intenso agora? Será que ela tinha inventado a frustração que tinha visto no rosto dele quando ele lhe contou, mesmo que de modo breve, sobre seu trabalho como detetive particular? E será que ela tinha imaginado o tom de voz ríspido quando ele lhe disse de modo enérgico que não aceitaria ser vendado para a degustação, com certeza porque não confiava nela?

Ou será que ela apenas ficou surpresa em vê-lo, e ficou tão perplexa com a beleza dele que seu cérebro começou a girar nas mais ridículas direções? Em particular as direções que a mantiveram parte da noite acordada, sonhando em ter as mãos dele em cima dela e a boca na sua.

Mas, quando ela quase se convenceu de que ele ainda tinha a mesma alma despreocupada de antes, ele mencionou as fechaduras e a sensação de que ela estava se colocando em perigo por não se trancar dentro de casa. Apesar de Brooke tentar dizer a si mesma que era apenas coisa de homem, sabia que não era.

Seus pais a haviam ensinado a obedecer às regras e não fazer perguntas que pudessem ofender alguém ou deixar as coisas agitadas.

Mas Rafe era seu amigo, e ela se importava muito com ele para cogitar se estava se colocando em maus lençóis ou não.

— O que aconteceu, Rafe? Por que você está tão preocupado com a segurança da minha casa quando sabe tanto quanto eu que ninguém mesmo tranca as portas e os carros aqui no lago?

— As pessoas fazem coisas ruins em todos os lugares, Brooke. Até mesmo aqui. — Com essas palavras, ele saiu pela porta, pegou sua moto e foi para a loja de ferramentas.

Rafe voltou trinta minutos mais tarde com o que parecia ser a maior fechadura que a loja tinha em estoque, era uma fechadura prateada horrorosa que só de olhar já parecia assustadora, e uma caixa de ferramentas bem completa e novinha em folha. Durante a ausência dele, Brooke tentou concentrar a atenção em uma segunda rodada da nova receita de trufa de verão com uma pitada de inverno com a qual trabalhou com tanta alegria no dia anterior. Mas agora a receita ocupava um distante segundo lugar em relação ao belo enigma ajoelhado na frente da porta, instalando a fechadura horrorosa.

— Estou surpresa por eles venderem fechaduras assim lá — ela murmurou ao pegar a embalagem de plástico grosso para colocá-la no lixo reciclável.

Ele não disse uma palavra desde que voltou: apenas entrou pela porta destrancada e começou a trabalhar. E agora informava: — Encomendei umas travas para suas janelas. Vão chegar no meio da semana.

A inclinação natural de Brooke sempre foi deixar as pessoas fazerem o que pensavam ser o melhor para ela. Mas ela acabou surpreendendo os dois ao tirar a chave de fenda da mão de Rafe no meio do caminho.

Ela deu um passo para trás para que ele não pudesse pegá-la de volta: — Por quê, Rafe? Diga por que você está agindo assim e então talvez, apenas talvez, eu o deixe terminar de colocar esta fechadura horrorosa na minha porta.

Ele se moveu tão devagar, com tanto cuidado na direção dela, que ela não teve dúvida de que ele era bom no seu trabalho como investigador particular, e que as pessoas que ele investigava jamais sabiam que ele as estava observando.

— Eu já disse por quê — ele respondeu em um tom de voz baixo que retumbava pela sua coluna e a fazia se sentir quente.

— Não — ela rebateu —, você não me contou. Da última vez que o vi, você tinha catorze anos e ria o tempo todo. Você era selvagem e feliz.

— Nós dois crescemos, Brooke.

Apesar de ele ter rosnado as palavras, em vez de dar um passo para trás como era bem provável que ele quisesse que ela fizesse, Brooke se aproximou. Perto o bastante para colocar a mão livre no rosto dele e acariciar de leve a barba enquanto suspirava. — Sim, não há dúvida de que crescemos. — Ela estava perto o bastante para ficar na ponta dos pés e pressionar a boca contra a dele no beijo com o qual estava sonhando desde o momento em que o viu.

Mas, apesar de achar ter percebido um desejo similar nos olhos dele, antes que ela pudesse agir, ele se afastou… E afinal começou a contar o que ela queria saber.

— Entrei para a força policial depois da faculdade, fazendo ronda nas ruas com outros novatos. Eles me deixaram dar cobertura para outros detetives, e acabei descobrindo que tinha jeito para rastrear bandidos. Depois que resolvi um notório caso de fraude tecnológica, fui trabalhar por conta própria e comecei minha agência.

— Fraude tecnológica não ia deixá-lo preocupado com a fechadura na minha porta, não é?

— Logo no começo tive uma cliente que estava convencida de que o marido a estava traindo, apesar de não conseguir provar. Ele era um executivo milionário, dono de uma empresa listada na *Fortune* 500. A mulher disse que ninguém queria pegar o caso por medo dele. Ela também me contou que a única forma de ela e as crianças sobreviverem depois de um divórcio seria provando a traição. Algo nela me fez lembrar de Mia. E eu odiava pensar na minha irmã caçula presa em um relacionamento de merda com um cara rico que dava todas as cartas.

— Ele *estava* mesmo traindo, não estava?

Rafe pareceu enojado ao confirmar. — Com qualquer mulher em quem pudesse colocar as mãos.

— Foi ótimo você ter ajudado a moça a sair de um relacionamento ruim.

— Todas as amigas dela sentiram a mesma coisa. Nos últimos sete anos, peguei quase todos os homens ricos da Costa Oeste com as calças arriadas no lugar errado e na hora errada.

Ser investigador particular parecia tão excitante quando ele contou para ela pela primeira vez, mas agora dava para ver que era um trabalho difícil pelo simples fato de você ter que lembrar a si mesmo o tempo todo que muita gente é ruim.

— É por isso que você está aqui, não é? Para ficar distante do lado negro da natureza humana por um tempo. — Como ele não respondeu, ela se aproximou dele e pegou em sua mão. Apesar do fato de ele ter ficado tenso com o toque, ela completou: — Estou muito feliz por Mia ter encontrado a casa para você.

Ela pensou em tudo o que ele falou, em tudo o que ele deveria ter visto nos últimos dez anos, e só queria apagar isso da sua mente.

— Sei que vai dar muito trabalho, mas acho que é mais importante que você se divirta aqui. — Ela sorriu para ele, determinada a vê-lo sorrir em breve. — E quem melhor que uma velha amiga para se divertir com você?

Que diabos Rafe podia dizer quando Brooke olhava para ele com aqueles olhos grandes e inocentes e com uma determinação tão doce em fazê-lo se sentir melhor sobre tudo? Era o próprio cérebro distorcido dele que ficava girando em direção ao território obsceno, não o dela. Por "diversão" ela queria dizer nadar, caminhar e assar marshmallows na fogueira. E não lamber um ao outro por inteiro e rolar na cama até os dois se esquecerem de como o mundo poderia ser podre.

Ontem ele ficou surpreso em ver como ela tinha se tornado bonita. Hoje ele estava surpreso mais uma vez pela forma como ela arrancou a chave de fenda da mão dele e exigiu respostas às suas perguntas.

Ela ainda era a menina fofa e doce que ele conheceu havia uma década e meia, mas também era bem mais forte do que ele imaginava.

Brooke ainda segurava a mão dele, e ele queria trazê-la mais para perto para ver se seu gosto era tão doce quanto sua aparência. Em vez disso, ele disse: — A diversão parece uma boa coisa, Brooke. Mas eu tenho que saber que você está segura. — Ele olhou de maneira incisiva para a chave de fenda.

— Obrigada por ter respondido a minha pergunta — ela disse ao entregar a ferramenta sem relutância alguma, tão boa quanto sua palavra, apesar do fato de saber que ela não gostou da aparência da fechadura. — Que tal eu ir até a sua casa e começar a limpar enquanto você termina aqui para que a gente possa se divertir mais rápido?

Diversão. Ele não conseguia pensar na última vez em que se concentrou em se divertir. Sexo apimentado com uma estranha. A emoção de dirigir um dos carros de corrida do primo Zach. O prazer de experimentar um dos vinhos novos da vinícola do primo Marcus, em Napa Valley.

Mas diversão?

Rafe não tinha mais certeza disso...

— Claro — ele disse ao voltar a se ajoelhar na porta da frente —, parece ótimo.

E a verdade era que saber que passaria o dia com Brooke, mesmo que eles talvez ficassem o dia todo limpando e ajeitando a casa ao lado, parecia muito bom.

Quase um divertimento.

CAPÍTULO SEIS

Eles formavam uma boa equipe, Brooke pensou várias horas depois, ao olhar ao redor da cozinha impecável com satisfação. Ele ainda precisava comprar aparelhos domésticos, consertar o piso e trocar os gabinetes e tampos dos balcões, mas pelo menos não precisava mais de máscara para entrar lá.

Assim que terminou de colocar a nova fechadura, ele se juntou a ela para arrumar a bagunça que os locatários tinham deixado. Ela varreu, esfregou e passou pano enquanto Rafe tirava as coisas do caminho para ela. Tirou as cadeiras e as mesas quebradas e toalhas de mesa que estavam esburacadas.

Ela saiu da casa dele só o tempo de fazer um prato de sanduíches e teve que literalmente colocá-lo debaixo do nariz de Rafe para que ele parasse de trabalhar e comesse. Antes que ela chegasse à metade do seu sanduíche, ele já havia terminado os seus dois e estava tirando a poeira de caixas de papelão surradas que trouxe do sótão.

— Não achava que a minha família tinha deixado nada para trás quando nos mudamos — ele comentou —, mas veja o que acabei de encontrar.

Era um porta-retrato com uma foto desbotada. — Rafe, que ótimo!

A família toda estava na foto, e todos estavam sorrindo, com certeza felizes por estarem no lago para mais um verão. Claro que ela concentrou sua visão em Rafe. Era o sorriso mais fácil de que ela conseguia se lembrar, a forma despreocupada como ele exibia a constituição alta e desengonçada... Comparada à forma como seus enormes músculos fortes vibravam de absoluta tensão agora.

— E aqui está você, como sempre esteve.

O calor na voz dele fez Brooke se virar e olhar em sua direção em vez de observar a foto. — Estou na foto também? — Ela olhou logo para baixo mais uma vez e percebeu o que tinha deixado passar na primeira vez. Todos os Sullivans estavam lá, mas ela também estava, enfiada entre Rafe e Mia, menor do que todo mundo, mas toda sorridente para a câmera porque estava com suas pessoas favoritas.

— Não me lembro de ter me infiltrado na sua foto de família.

— Você não se infiltrou, Brooke, você fazia parte da família.

Foi a coisa mais gentil que ele poderia ter dito, até mais gentil do que o elogio que ele fez antes sobre as trufas. Tudo o que ela quis a vida toda foi fazer parte, era o que parecia. Os avós — e os vizinhos, os Sullivans — facilitaram para ela de todas as formas que os próprios pais não souberam como.

Sentindo que ele estava segurando seu coração, ela disse: — Que tal eu levar isto para limpar na minha casa?

— Seria ótimo. — Um pouco depois, ele foi para o sótão de novo.

Ela olhou para a foto e percebeu que devia ter sido tirada pelo seu avô. Será que ele sabia que sua neta tinha uma enorme queda por Rafe? Ou será que isso só foi crescendo e ficando mais forte com o passar dos anos?

Ao atravessar o gramado até sua casa, o reflexo do sol no vidro do porta-retrato a cegou por um momento e ela teve que desviar o olhar para a água azul e as montanhas verdes. Pela milésima vez desde que tinha voltado para o lago, ela ficou impressionada com a beleza que a circundava. Ela esperava nunca dar a paisagem como repetitiva e sempre separar um tempo para apreciá-la mais a cada dia.

Não era certo Rafe estar no lago há quase vinte e quatro horas e ainda não ter entrado na água. Mas, se ela sugerisse que fossem nadar agora, ela sabe que Rafe não iria. Ele estava concentrado por inteiro nas tarefas, entre carregar a mobília para fora sozinho e rastejar embaixo da casa para ver a extensão dos danos, e era óbvio que planejava trabalhar até cair.

No momento em que ele saiu de moto, parecia tão sério, tão intenso. Agora que tinha contado a ela sobre o emprego, Brooke sabia mais sobre as razões para isso, mas nada mudava o fato de, em vez de pescar, caminhar ou relaxar na praia, ele estava se matando para tentar limpar o desastre naquela casa. Ela queria vê-lo sorrir mais, rir mais, como costumava fazer quando eram crianças.

Um pouco de trabalho era tudo de bom. Brooke sabia o valor do foco e da determinação em primeira mão como proprietária do pequeno negócio. Mas, enquanto trabalhava para limpar o porta-retrato e o montava na cozinha, ela calculou que não tinha nada a perder em tentar convencê-lo a ver a sabedoria da sua sugestão de se divertirem juntos enquanto ele estava aqui.

Sabendo que deveria ter um pouco de jogo de cintura, ela voltou a atravessar o gramado entre as suas propriedades e disse: — Rafe, tem uma coisa aqui fora que você precisa ver.

Ela esperava vê-lo colocar a cabeça para fora da janela do sótão, que ainda estava bem suja. Em vez disso, ela ouviu passos no telhado e percebeu que ele devia estar em pé, de forma um tanto precária, ela pensou, no alto da casa.

— Qual é o problema?

Viu só? Era esse o problema. De imediato, ele esperava o pior das coisas. Tudo isso era só culpa do trabalho mesmo? Ou será que tinha acontecido alguma coisa para deixar sua forma de ver a vida mais sombria?

— Tem alguma coisa no final do ancoradouro. Venha rápido, mas tome cuidado ao descer daí.

Vendo a preocupação no rosto dele, ela se sentiu um pouco mal por estar só de brincadeira, mas era para o próprio bem dele. Além disso, ele logo saberia que estava tudo bem. Ela foi até o final do ancoradouro e esperou por ele. Ele desceu do telhado e veio correndo, fazendo as longas pernas comerem a grama e a areia.

— O que foi?

Ela não conseguia encontrar palavras para responder por um longo momento. Não quando o suor fez a camiseta fina grudar no peito. Ela já tinha visto fotos de homens com abdomens perfeitos, mas nunca tinha visto um de perto. Tão perto que podia estender a mão para tocá-lo...

— Brooke? — Ele ficou acenando as mãos na frente dos olhos dela para chamar sua atenção. — Você disse que eu precisava vir aqui ver uma coisa. O que está acontecendo?

— Isto.

Antes que ele pudesse entender sua intenção, ela o jogou com tudo no lago, roupas, sapatos e tudo mais. A expressão de surpresa dele a fez rir, um pouco antes de se jogar na água também.

Rafe estava tirando os cabelos dos olhos como um cão molhado na hora em que ela emergiu. Dezoito anos antes, ela tinha certeza de que ele teria achado engraçado o que ela fez. Mas agora? Para ser honesta, ela estava um pouco nervosa, achando que ele ficaria bravo, em especial porque não dava para saber o que ele estava pensando.

— Quando você tinha oito anos — ele começou a falar com uma voz profunda, que a fez tremer mais do que com a temperatura da água — eu deixava você se safar com isso — ele fez uma pausa e ela estava segurando o fôlego até enfim perceber que ele estava tentando evitar que os cantos da sua boca se contorcessem em um sorriso. — Mas agora você não é mais uma garotinha. O que significa que não tenho que jogar limpo.

Um segundo mais tarde, ele estava esticando a mão para tentar afundá-la na água, mas ela era rápida o bastante para nadar para fora do alcance antes que ele conseguisse algo. Os dois riam enquanto ele continuava a persegui-la, e ela não parava de enganá-lo repetidas vezes. A água estava deliciosamente fria quando ela submergia e dançava toda alegre ao redor das pernas de Rafe.

Ela não se divertia tanto assim havia muito tempo.

Ah, ela adorava ouvi-lo rir, ainda mais quando o som da sua alegria dançava pela superfície da água, a primeira risada espontânea que ela ouviu desde ontem à noite. No final, foi isso o que a fez afundar: ela estava prestando mais atenção ao prazer de fazê-lo feliz por alguns minutos, no final das contas, em vez de trabalhar para garantir que iria ficar longe do caminho dele.

Com um braço forte, ele a pegou pela cintura, e, quando não dava mais pé para ela, porque eles foram mais para o fundo do que ela pretendia, ela, por instinto, enlaçou os braços e as pernas ao redor dele para evitar que afundasse.

No espaço entre as batidas do coração, a diversão alegre mudou para o desejo ardente.

Os corpos molhados estavam tão próximos que dava para sentir o coração dele batendo contra o dela. Os dedos de Rafe estavam flexionados na cintura de Brooke, onde ele a segurava bem perto de si. Ela respirava forte por causa do jogo de pega-pega debaixo da água, e seus seios estavam pressionados contra o peito dele. Os mamilos estavam intumescidos mais por causa da proximidade do que pela temperatura da água, e dava para sentir seus músculos e tendões flexionando... Junto com a enorme ereção que apontava entre eles.

Um calafrio percorreu o corpo dela diante da doce percepção de que ele a queria tanto quanto ela o queria, e esfregar os quadris nele aconteceu por puro instinto. Conforme o movimento natural da água na brisa leve os aproximou ainda mais, o nome dele saiu em um gemido de prazer em seus lábios ao mesmo tempo que ele também gemeu.

O rosto dela estava pressionado contra o dele, e dava para ouvir sua respiração forte no ouvido quando ele disse: — Brooke.

O nome dela nos lábios dele estava cheio de pura paixão e com calor suficiente para mantê-la aquecida durante todo o longo verão. Brooke esfregou o rosto no dele, e, quando sua respiração quente aproximou-se do ouvido dele, foi a vez de Rafe estremecer.

De repente tudo fez sentido, a paixão de garotinha só tinha amadurecido com o passar dos anos.

Ela sempre se importou com ele como amigo. Agora ela o queria, também, mas da forma como uma mulher quer um homem.

Mas antes que ela pudesse pressionar seus lábios na pele dele, Rafe começou a soltar os braços dela de seu pescoço e disse, com a voz tensa: — Eu não devia ter agarrado você assim. Perdoe-me.

Ela não conseguia entender o que aconteceu: ele ficou todo excitado por ela em um segundo e no segundo seguinte a deixava na água sozinha, saindo do lago e caminhando em direção à orla.

Em toda a sua vida, Brooke viveu seguindo as regras do que *fazer* ou do que *não fazer* para manter-se segura, em particular depois de um erro estúpido no ensino médio. Mas ela estava cansada de se preocupar com se machucar por ter feito a escolha errada. Ainda mais quando cada célula em seu corpo lhe dizia que Rafe era a pessoa *certa*.

— Rafe, pare!

Brooke caminhou o mais rápido que pôde, com dificuldade, pela água até a orla, sem saber se ele iria parar de fato, ou quanto tempo esperaria por ela. Só porque ela decidiu o que — e quem — queria, não significava que tivesse uma pista do que fazer com isso. Uma coisa era ponderar tudo isso na sua cabeça; outra bem diferente era fazer algo a respeito.

Algo *selvagem*.

CAPÍTULO SETE

Rafe sabia que não deveria parar, e que sem dúvida não deveria se virar e saborear a visão de Brooke na praia, toda molhada por causa do lago. Mas ela era sua amiga, então ele não podia desaparecer da frente dela e fingir que o que quase aconteceu não aconteceu.

Droga, ela era ainda mais bonita de calça jeans justa e regata do que qualquer mulher tinha o direito de ser. Ela de biquíni na noite anterior o levou à loucura, mas o tecido fino prendendo-se ao seio e delineando a renda e a seda do sutiã por debaixo da roupa o fazia recorrer a toda a sua força de vontade para não pegá-la nos braços e terminar o que tinha começado.

— Por que você se afastou?

Em vez de responder, ele a confrontou com uma pergunta: — Por que você faz tantas perguntas?

Ele pensou tê-la visto recuar, mas, em vez de se virar e sair correndo, ela explicou: — Porque não fiz perguntas por muito tempo. Tempo demais. Fiz o que pensei que deveria fazer. Não falei fora da minha vez. Nem pedi nada. Não sabia ainda que poderia ter feito. Sempre fui a garota boazinha. A garota doce. A garota *fofa* — ela tentou dizer com desprezo a palavra *fofa*, mas até aquilo era bonito nela. Ele estava tão concentrado nos lábios carnudos e macios dela que percebeu tarde demais que Brooke tinha se aproximado. Era uma mulher linda, com curvas molhadas e irresistíveis. — Não quero mais ter medo de pedir o que quero. — Ela deu mais um passo na direção dele antes de acrescentar. — Em especial quando sei o que quero.

Sozinha, Brooke tinha transformado o que deveria ter sido um dia de merda em um bom dia não só por ter oferecido um lugar para ficar e ajudar na limpeza, mas por tirá-lo do trabalho para brincar no lago.

E como ele estava pensando em retribuir?

Com orgasmos.

O fato de ela implorar por esses orgasmos não importava. Ele ainda estava agindo como um porco, agindo como os caras que investigava. Por isso todos eles eram pegos com as calças na mão. Só precisavam de uma mulher como Brooke olhando para eles, com olhos famintos e já era.

Todos os segundos desde que ele a tinha visto na noite anterior o tinham deixado mais confuso do que nunca. Ele sempre soube a diferença entre o certo e o errado, mesmo quando era criança. Foi por isso que se tornou policial, em primeiro lugar, para impedir que o errado vencesse da noite para o dia.

Forçando-se a lembrar a si mesmo de que brincar com a doce e inocente Brooke com qualquer tipo de atividade sexual era errado, ele disse: — Você é ótima, Brooke, mas somos amigos.

— Amigos que desejam um ao outro — ela rebateu, olhando com firmeza para ele. — Eu arrastava um bonde por você quando éramos crianças, e reencontrá-lo me fez perceber que não era só uma paixonite.

Uau, aquilo foi muito mais direto do que ele pensava que Brooke pudesse ser. Por outro lado, será que ele não tinha aprendido que o exterior suave era só a embalagem para foco e determinação? De alguma forma ele precisava ter o domínio da conversa — e certificar-se de que nada mais do que um surpreendente abraço caloroso na água acontecesse.

— Estou na sua casa. E, mesmo depois que eu me mudar, estarei bem aqui ao lado. Será complicado demais se formos mais que amigos.

Em vez de aceitar a lógica perfeita de que continuar a provocação sexual só iria trazer ainda mais complicações, ela sorriu para ele, e a surpreendente pontada de malícia nos olhos dela o fez se lembrar das formas mais potentes e o que cada centímetro do seu corpo sentiu contra o dela. As curvas do seu quadril nas mãos dele, as pernas enlaçadas ao redor da sua cintura... E como foi de enlouquecer segurá-la daquela forma.

— Olhe — ela disse, com um tom bem racional —, entendo o que você diz. Se um de nós não quiser mais, será estranho, pois somos vizinhos. Mas eu acho que tentar lutar contra essa atração óbvia seria até mais estranho e acabaria causando mais tensão entre nós. Não somos mais crianças. Somos adultos que sabem lidar com expectativas e sentimentos feridos. Nós dois somos solteiros. E... — ela fez uma pausa proposital. — Nós dois nos queremos. E, caso você se preocupe com o fato de eu estar procurando marido e filhos, não estou. Sinto-me bem estabelecida. Agora tudo o que eu quero é me divertir. E ser selvagem. Com você.

Pego entre o que ele queria — ele nunca quis ninguém desse jeito — e o que ele sabia que era a coisa certa a fazer, Rafe forçou-se a dizer:

— Se você está procurando diversão, se você quer ser selvagem, podemos encontrar outras formas. Se nunca andou de moto, posso levar você para passear na minha. — Seria um inferno ter aqueles seios e coxas pressionados contra o corpo dele, mas ele iria encontrar uma forma de lidar com isso.

O rosto dela já estava corado por causa do nado de improviso, mas, agora, com ele oferecendo uma volta de moto em vez de dormir com ela, seu rosto ficou ainda mais corado. — Uau. Uma volta na sua moto? Eu faço uma proposta e é isso que você me oferece em troca? — E ela respirou fundo, parecendo constrangida de súbito pela forma aberta como tinha falado com ele. — Quando estávamos na água, e ontem à noite, e até mesmo hoje de manhã, achei que você me queria. Mas, se você não quer, então talvez nós dois devêssemos apenas fingir que essa conversa toda nunca aconteceu.

Ele não podia suportar a ideia de ela pensar que não a queria, que ela não era a mulher mais desejável que ele já tinha visto na vida. — Claro que eu quero você, Brooke. Quem em sã consciência não iria querer? Tenho lutado comigo mesmo a cada segundo desde que a vi de biquíni ontem à noite para não tocá-la e torná-la minha.

Ela piscou fundo para ele, o claro prazer pelas suas palavras misturando-se à confusão. — Então, se você me quer tanto — e eu sei que o quero da mesma forma —, por que está lutando para não ficar comigo?

Droga, ele queria que a desculpa de serem vizinhos desse certo. Que ela acreditasse na história de ser menos complicado serem apenas amigos. Ela não estava mais fazendo a chave de fenda de refém, mas, quando alguém é corajoso o suficiente para jogar suas bobagens na sua cara, você tem que ter coragem para lhe dar uma resposta direta.

— Ontem à noite você me chamou de selvagem. Você tem razão. Eu sou.

Ele a deixou digerir aquilo por um momento, deixou que ela percebesse que não estava apenas falando de motocicletas e de pular de balanços de corda no lago. Ele estava falando de sexo. Sexo forte, sexo que a faria corar até nas unhas pintadas dos seus pés.

— Eu já disse que ser selvagem é tudo o que eu quero.

Tentando fazê-la entender, ele disse: — Garanto que você não iria gostar das coisas que eu quero fazer com você.

Quando um lampejo de interesse ficou ainda mais intenso nos olhos dela, Rafe na hora percebeu que tinha dito exatamente a frase errada. Antes que pudesse retirar o que disse, Brooke perguntou: — Você está falando de perversão?

Até mesmo ouvir a palavra *perversão* sair dos lábios doces dela o fazia quase perder o controle.

A resposta pura e honesta teria sido sim. Mas ele já tinha sido idiota o bastante para dizer a frase errada uma vez. Mais de uma, talvez, já que tudo com Brooke estava ficando cada vez mais confuso em sua cabeça a cada segundo. Ele não conseguiria viver consigo mesmo se a levasse para o lado negro da vida. Ela merecia a cerca de madeira branca e o cara perfeito que trabalha em um emprego normal com nada mais pesado em sua mente do que a dúvida sobre se o time de beisebol do seu primo Ryan, o São Francisco Hawks, ia ganhar a série mundial outra vez.

A verdade é que ele não queria admitir para si mesmo, nem para ela, que tudo o que ele queria era fazer sexo pervertido com Brooke. Só de pensar como seria observar a reação pura e franca nos olhos dela ao vê-lo levá-la à beira do prazer, e até além — passando de onde ela pensou que poderia ir —, Rafe ficou excitado de uma forma inédita.

Mas o fato de que ela ainda ser sua amiga — e que ela era amada por seus pais e irmãos também — tornava tudo muito arriscado.

Se tudo desse errado, nenhum deles jamais o perdoaria. E Rafe nunca perdoaria a si mesmo. Não quando ele sabia desde o começo que não tinha nada a oferecer a ela... E no final só a acabaria magoando.

— Acho que você duvida que eu posso encarar ser vendada ou amarrada ou chamar você de senhor.

— Não quero que você me chame de senhor! — Ele esperava que Brooke não percebesse que ele não havia dito nada sobre vendá-la ou amarrá-la. A verdade é que, naquele exato segundo, aquelas eram as duas coisas que estavam no topo da sua lista de fantasias.

— Que bom — ela disse —, porque, apesar de parecer meio quente no momento, acho que também seria meio estranho.

— Não vai ser quente nem estranho, porque você e eu não vamos ser mais do que amigos!

O rugido em sua voz ecoou de volta para Rafe da superfície do lago. Ele precisava fazê-la entender, precisava de alguma maneira conseguir virar o barco na direção em que deveria continuar seguindo, em vez de ficar ali vacilando diante das coisas que Brooke lhe dizia para ele.

Mas, antes que ele pudesse, ela já estava perguntando: — O que faz você pensar que sabe como eram os outros caras com quem eu fiquei? Como você sabe que nenhum deles gostava de sexo pervertido?

Era óbvio que ela não iria deixá-lo sair da conversa sem uma resposta honesta... Ele não podia fazer nada além de respeitar esse fato depois de lidar com traidores e mentirosos nos últimos sete anos. — Eu sei porque você mal consegue dizer a palavra sem corar.

— E *você* nem consegue dizer *sexo pervertido* — ela apontou, com a voz calma até demais. — Então, é óbvio que o que podemos ou não podemos dizer não significa muito, não é mesmo?

— Brooke — ele tentou explicar de novo. — Acho que acabei perdendo o rumo da conversa. Você sabe que eu gosto de você.

— Também gosto de você.

— Eu não conseguiria viver em paz com a minha consciência se a magoasse de alguma forma.

Rafe esperava que Brooke afinal entendesse e concordasse que eles não deveriam seguir por esse caminho. Em vez disso, pela primeira vez desde que começaram a conversa maluca, ela pareceu magoada.

— Será que eu pareço assim tão fraca? Tão suave? Tão ingênua? Tão inocente, tão patética, que você acha que pode me magoar com tanta facilidade?

— Nunca pensei que você fosse fraca — ele retrucou. — E você jamais seria patética.

— Mas o resto está certo, não está?

Droga, nos últimos quinze minutos as águas desconhecidas das quais ele tentava escapar só ficaram mais profundas. — Não conheço muitas pessoas suaves, Brooke. Ou que tenham conseguido manter qualquer tipo de inocência em absoluto. Não quero ser a pessoa responsável por mudar você.

— É difícil acreditar nisso. Em todos esses anos em que conheço você, nunca percebi como você era arrogante. Você de fato acha que exerce tanto poder assim sobre mim? Ou que seria o único responsável por mudar quem eu sou?

O peito dela subia e descia, e pela primeira vez ela não estava sorrindo. Pelo contrário, estava olhando para Rafe enquanto ele se esforçava ao máximo para não notar a forma como a regata estava justa em seus seios incríveis.

— Eu não...

Ela o cortou. — Você teve bastante sorte por ser selvagem a vida toda. Bem, é a *minha* vez agora. Achei que seria maravilhoso ser selvagem com você, mas, se você não está interessado, ou só está muito assustado, então eu vou achar outro cara para ser selvagem comigo.

Ela ia passando por ele, furiosa, como era claro. Rafe sabia que devia deixá-la ir, deixá-la esfriar a cabeça. Inferno! *Os dois* precisavam esfriar a cabeça. Mas pensar em Brooke procurar — e encontrar — outro cara para ser "selvagem" com ela o deixava vermelho de raiva.

Rafe a agarrou pelo braço e a girou para ficar de frente para ele. A areia onde Brooke tinha pisado estava irregular, e ele a pegou com tanta força que ela quase caiu em cima dele, que pressionava o dela, o queixo ainda estava erguido para a batalha enquanto o encarava.

— Você não vai encontrar outro cara para ser selvagem com você.

— E como você planeja me impedir? Ainda mais depois de ter deixado claro que não quer me amarrar à sua cama.

Todo homem tem um limite para ser provocado... E essa provocação final fez com que Rafe passasse do limite mil vezes.

Ele abaixou a boca até a dela com firmeza e necessidade. Brooke encontrou a dele com a mesma fúria, enrolando sua língua à dele, sugando os lábios dele enquanto ele mordia os dela, e depois era a vez de ela morder enquanto ele sugava a carne doce e macia. Uma das mãos dela estava presa entre os peitos dos dois, e ele segurava seu pulso com uma e entrelaçava a outra aos cabelos dela, como se estivesse tentando trazer sua boca mais para perto.

Ela tinha um vago sabor de chocolate, mas a maior parte era gosto de mulher pura e sensual. Rafe estava tentando convencer a si mesmo de que ela ainda era a garotinha da casa ao lado, mas era uma mulher que ele tinha em seus braços. Uma mulher com curvas perigosamente sedutoras e lugares dos quais sua boca estava próxima, de maneira arriscada, para explorar depois de ter sentido seus lábios.

— Seu gosto é tão bom — Brooke sussurrou quando Rafe conseguiu afastar-se de sua boca.

Ele não podia mentir para ela, não podia fingir que não a queria mais do que jamais quis outra mulher em sua vida. Mais ainda quando estavam tão próximos que ele sabia que ela conseguia sentir cada centímetro do desejo dele contra o corpo dela.

— O seu também, Brooke. É um inferno de tão doce.

Ela levantou a cabeça, e o olhar suavemente sensual quase o anulou pelo resto do caminho. — Então esqueça todas as suas desculpas, todos os seus motivos, e venha para a cama. Venha saborear mais de mim. *Tudo* em mim.

Ele não conseguia evitar passar a mão nos contornos de seu belo rosto. Ela estremecia ao toque delicado dele em sua pele tão macia. Rafe sempre foi dominante na cama, mas o controle tinha escapado das suas mãos no segundo em que a viu em pé, com o biquíni todo molhado.

Se essa paixão de verão — uma paixão à qual era óbvio que ele não tinha como resistir — tinha alguma chance de dar certo, ele tinha que retomar o controle.

— Conheço você há muito tempo e a respeito demais para tratá-la como uma garota que peguei em um bar.

Ele detestou tanto o desapontamento que provocou em suas belas feições que fez a única coisa em que conseguia pensar para fazer com que aquilo fosse embora. O segundo beijo foi ainda mais doce do que o primeiro, pois dessa vez ele se lembrou de saboreá-la ainda mais, de ir mais devagar e começar a estudar as curvas e as fendas em sua linda boca.

Puro prazer o dominava ao deslizar a língua por todo o seu lábio inferior, prendendo-o entre seus lábios. Os pequenos sons emitidos por Brooke ao sentir a língua dele na sua, os pequenos tremores bem abaixo da pele ao pressionar o corpo molhado mais perto do dele, faziam com que ele lutasse para conter as sensações selvagens que sacudiam seu organismo.

Não levá-la para a cama naquele exato momento iria matá-lo, mas, mesmo que eles fossem apenas ser amigos que faziam sexo — sexo *selvagem*, como ele esperava —, ele não seria capaz de viver consigo mesmo se ao menos não a tratasse bem enquanto estivessem dormindo juntos.

— Nós dois vamos pensar muito hoje à noite, e então amanhã à noite, se você ainda decidir que quer isso...

— Ainda vou querer você, Rafe. Assim como o quero agora.

Ele não sabia como ia se impedir de beijá-la outra vez, mas outro beijo seria um portal direto para possuí-la ali mesmo na areia. Ele

precisava ter certeza de que ela teria tempo de pensar bem nas coisas.

— Vinte e quatro horas — mas, ao mesmo tempo em que insistia nesse período de espera, não conseguia forçar-se a parar de tocá-la. Deslizando a mão pelo braço de Brooke para entrelaçar os dedos aos dela, Rafe disse: — E, como agradecimento por ter-me deixado ficar na sua casa, ter ajudado a limpar a minha e, por fim, me levar de volta ao lago, que tal eu levá-la para passear de moto e jantar na cidade?

Tudo o que ela precisava fazer para que ele perdesse o controle total era se inclinar para beijá-lo de novo. Mais um beijo, e ele teria trocado o acordo para vinte e quatro segundos em vez de vinte e quatro horas.

Ele estava mais desapontado do que queria admitir quando ela apenas assentiu.

— Tudo bem. Aceito seu convite para jantar, mas tenho que tomar banho primeiro. — Ela lançou a ele o sorriso mais belo e travesso que ele já viu. — Um banho *bem* demorado.

Com aquele recado chocante e sedutor, ela foi afastando os dedos dos dele e começou a andar devagar até a casa.

Rafe sabia com precisão o que Brooke estava fazendo, que ela o estava provocando de propósito com visões de si mesma tocando-se no banheiro enquanto ele a esperava para levá-la para jantar. Ele não tinha dúvida alguma de que a pequena Brooke Jansen ia continuar forçando a barra até fazê-lo perder o controle durante todo o tempo nas próximas vinte e quatro horas, e ela iria continuar sorrindo o tempo todo também.

E aquilo só iria fazer com que ele a quisesse ainda mais, sabendo que a garota boazinha da casa ao lado não apenas tinha um viés de safadeza bem escondido... Como também parecia que nada conseguia apagar a brilhante luz natural dentro dela.

CAPÍTULO OITO

Brooke secou e cacheou o cabelo antes de escolher uma calça jeans justa e uma blusa listrada branca de manga longa para o passeio de moto e a noite na cidade. Depois de ter feito o comentário sugestivo para Rafe sobre o chuveiro, suas pernas tinham desistido no caminho de volta para casa. Ela nunca foi tão direta antes, mas o ímpeto que a fez agir dessa forma diante da reação dele com facilidade fazia valer a pena o nó no estômago.

Ele parecia atordoado... E também era como se quisesse carregá-la em seu ombro e arrastá-la para o quarto mais próximo.

Ela esperava que alguns minutos sozinha a ajudassem a se acalmar para conseguir jantar com ele. Em vez disso, a água quente correndo pela pele supersensibilizada apenas enfatizou sua necessidade. Um beijo era tudo o que era preciso para excitá-la até perder a razão. Ela sabia bem como dar prazer a si mesma, mas algo lhe dizia que perder o controle, tocando-se, só a faria sentir mais desejo pelo toque *dele.*

Brooke também suspeitava de que ansiedade e o prazer intenso estavam intimamente ligados. E, quando ela e Rafe no final ficassem juntos — se os dois beijos que os dois trocaram até agora servissem de exemplo —, seria explosivo.

Ela deveria ter imaginado que o simples ato de beijar Rafe seria melhor do que qualquer experiência sexual que já tinha tido. O sabor dele era delicioso — um pouco salgado por causa da intensa atividade física do dia todo e da água fresca do lago ao mesmo tempo.

Ela estava indo para a sala de estar quando o telefone tocou. Dava para ver Rafe esperando na varanda da frente. Brooke esperava que ele estivesse imaginando todas as coisas que poderia estar fazendo no chuveiro nos últimos trinta minutos. Ela iria deixar o telefone tocar, mas viu o número do novo sócio na tela e resolveu atender.

— Oi, Cord. Estou saindo para jantar.

Ela ouvia Cord, mas estava de olho em Rafe. Cord falou rápido que havia encontrado o lugar perfeito em Seattle e tinha mandado várias fotos por e-mail. — Que ótimo! Prometo ver as fotos antes de dormir hoje à noite. Ligo de volta pela manhã. — Ele disse que precisaria fazer o depósito o mais rápido possível, antes que uma das várias novas lojas de cupcake de Seattle alugassem o lugar na frente deles. — Vou transferir o dinheiro para a sua conta amanhã. Assim, estaremos prontos quando for preciso. — Ela se sentiu mal por terminar a ligação com tanta pressa, mas por uma noite o chocolate podia esperar. Depois de desligar, Brooke colocou pequenas caixas de trufas em uma sacola.

Apesar de Rafe estar olhando para a vista do lago verdadeiramente serena e pacífica, ele parecia tenso.

— Foi um bom banho?

Brooke não se importou em abafar a risada de prazer diante da pergunta um tanto ríspida. — Maravilhoso — ela pegou um casaco e já estava indo na direção da moto quando respirou fundo e disse, sem rodeios —, mas teria sido bem melhor com você.

Ela não se virou de novo para ver como seu comentário sexy o afetou, mas tinha certeza de tê-lo ouvido pisar fundo no cascalho. Se ele quis provocá-la ao forçar o período de vinte e quatro horas de espera, então ela estava mais do que feliz em provocá-lo também, pensou com um largo sorriso.

Ainda mais quando a garota boazinha dentro dela tinha acabado de aprender como era gostoso ser má.

Lá na praia, o desejo dele era tão óbvio que Brooke duvidava que levaria muito mais do que tirar suas roupas molhadas para que Rafe se esquecesse desse período de espera idiota para possuí-la. Mas, apesar da intensidade com que o queria, ela também entendia que, ao mesmo tempo em que seduzir Rafe era surpreendente, com toda a certeza, os dois juntos como parceiros na sedução seria muito melhor.

Ela jamais se arrependeria de ter ficado com ele nem pensaria duas vezes sobre isso.

E ela também não queria que ele se arrependesse nem pensasse duas vezes.

A motocicleta era uma Ducati preta e lustrosa. Mesmo sem entender nada do assunto, ela já tinha ouvido falar naquela marca. Brooke passou a mão pela lataria brilhante e lisa.

Rafe abriu o baú e pegou dois capacetes, um grande e um menor. Ela não tinha pensado se ele teria ou não um segundo capacete consigo, mas, apesar de estar feliz porque ele tinha, havia uma enorme diferença entre ser selvagem e ser estúpida, e ela não conseguia evitar pensar na razão.

— Você está com uma ruguinha bem aqui — ele colocou a ponta do dedo entre os olhos dela —, aquela que você tem quando quer me fazer uma pergunta.

Aquele toque foi o suficiente para fazê-la perder o fôlego. — Estou surpresa por você ter um segundo capacete — um que sem dúvida tenha o tamanho certo para uma mulher.

— Mia tem uma coisa com a minha moto. Quando percebi que não ia vencer a batalha para mantê-la longe, comprei o capacete para quando eu a levar para passear.

Rafe era maravilhoso por tantas razões, mas no topo da lista estava o quanto ele se importava com a família. Ele estendeu a mão para colocar uma mecha de cabelo dela atrás da orelha, depois colocou o capacete e prendeu a tira do queixo para ela.

Por fim, o sorriso que Brooke estava morrendo para ver apareceu quando ele a encarou. — Meu Deus, você é fofa!

Por muitos anos ela odiou aquela palavra. *Fofa.* Mas, quando Rafe a disse, não parecia tão ruim assim.

— O que eu preciso saber?

— Incline-se comigo nas curvas. Siga a linha do meu corpo. E prometa que, aconteça o que acontecer, você não vai se soltar de mim.

— Prometo.

Os olhos dele ficaram mais negros por uma fração de segundo quando ele colocou o próprio capacete e subiu na moto. Ela ergueu a perna sobre o assento de couro e, quando viu que era mais alto e mais largo do que parecia, por instinto segurou-se em Rafe e envolveu os braços com força ao redor do peito dele. Os dois se encaixaram de forma que as pernas dela sentiam os músculos firmes dos quadris e das coxas dele e os seios dela eram pressionados contra as costas dele. Brooke adorava sentir as batidas firmes e estáveis do coração de Rafe debaixo de seus dedos.

— Pronta?

— Nunca estive tão pronta — ela confirmou, esperando que Rafe soubesse que ela não estava falando apenas do passeio de moto.

O passeio até a cidade foi bem curto. Rafe estacionou na frente do restaurante italiano dez minutos mais tarde. Brooke tirou o capacete e sacudiu o cabelo, sentindo-se uma nova mulher.

— Foi demais! Por isso Mia é apaixonada pela sua moto. Isso foi tranquilamente melhor que sexo!

— Se é assim, parece que você tem feito sexo com os homens errados.

Ela estremeceu diante do calor, da confiança e do tom em que ele disse, de certa forma, que fazer sexo com *ele* seria mil vezes melhor do que qualquer passeio de moto.

— Talvez — ela concordou, quase sem fôlego, tanto pelo passeio de moto quanto pela forma como suas palavras a tinham afetado —, mas acho que quero uma moto mesmo assim.

Dava para ver por sua expressão que ele não gostou nem um pouco da ideia. — Você pode andar comigo quando quiser.

Ela arqueou a sobrancelha. — Você acha que eu não dou conta de uma?

— A esta altura, acho que você dá conta de qualquer coisa, Brooke... Mas prefiro que ande comigo.

Ela iria para qualquer lugar com ele de moto. Qualquer lugar, a qualquer hora.

— Adorei andar de moto com meus braços ao redor do seu corpo também. — Como os olhos dele ficaram ainda mais negros, ela teve que perguntar: — Você ainda acha que esperar vinte e quatro horas é uma boa ideia?

Percebendo com clareza que tinha se colocado em uma armadilha, ele suspirou: — Você está planejando me torturar durante todas essas horas, não está?

Ela riu. — Tenho a sensação de que você fará um ótimo trabalho a respeito disso, e sozinho. Especialmente — o viés travesso recém-adquirido a fez acrescentar — quando você descobrir o meu pijama.

— Seu pijama? — As duas palavras saíram meio que sufocadas.

— Mmm — ela disse, assentindo ao ir para a porta da frente do restaurante, tentando não trair a forma como estava surpresa consigo mesma pelas coisas que estava conseguindo dizer. — Eu não uso pijama.

Brooke e a anfitriã de cabelos grisalhos se cumprimentaram com um abraço, e então, depois de lhe dar algumas caixas de trufas de presente, Brooke fez as apresentações: — Elise, esse é Rafe Sullivan. A família dele era dona da casa ao lado da minha, e ele acabou de recomprá-la. Rafe, você se lembra dos Lombardis? Eles são donos deste restaurante desde que éramos crianças.

— Sullivan? — Os olhos da mulher demonstraram reconhecimento ao se estreitarem. — Espere um pouco. Não foram seus irmãos e você que jogaram ovos na janela da minha casa no feriado de 4 de Julho há muito tempo?

Ele expressou um sorriso amarelo. — Culpado! Sei que meu pedido de desculpas está vindo tarde demais, mas ficarei mais do que feliz em lavar os pratos para você hoje para compensar o que fiz.

Graças a Deus ela apenas sorriu, embora olhasse para ele e para Brooke com uma clara pergunta nos olhos. E com a advertência de que, se ele passasse dos limites, então teria que tomar cuidado para não fazer nada que magoasse a doce mulher em pé na sua frente.

— Você já compensou quando encontrou aquele garotinho na floresta — disse a Senhora Lombardi. — Voltou para ficar também?

— Para as férias de verão.

— Bem, esse jantar de boas-vindas é por conta da casa para vocês dois — ela disse, mostrando a eles uma mesa de canto. Uma mesa bem romântica para os dois, Rafe pensou.

Por outro lado, sentar-se muito perto de Brooke, de forma que seus joelhos roçassem, não era nada comparado ao passeio de moto pela cidade com as curvas macias ao redor do corpo dele. Na hora em que ele estivesse quase recuperado disso, já estariam de novo na moto para voltar para casa.

Rafe supôs que, depois dos beijos superquentes na praia, as coisas ficariam estranhas entre eles. Esquisitas. Desajeitadas. Mas, fora a maneira como ela continuava a provocá-lo, Brooke era a mesma pessoa doce e alegre de sempre. Em nenhum momento ela tentou usar chantagem emocional para conseguir o que queria, como a maioria das mulheres que ele conhecia.

Será que era mesmo possível que os dois pudessem ter um caso de verão? Dois amigos que já se conheciam bem e não queriam nada mais do que dar e receber prazer quando as luzes se apagassem?

Era para isso que servia essa moratória de vinte e quatro horas: um intervalo para deixar os impulsos iniciais tempestuosos se acomodarem para que os dois pudessem raciocinar melhor sobre as coisas.

Rafe concluiu que a maioria dos erros cometidos com as mulheres no passado poderia ter sido evitada com um pequeno período para esfriar as coisas. Só que algo lhe dizia que não haveria nada de frio em relação à sua noite com Brooke... E que havia uma grande possibilidade de o seu tiro sair pela culatra. Em vez de dar um lúcido passo para trás durante essas vinte quatro horas, ele temia estraçalhar as roupas quando fosse arrancá-las.

Ele quase fez isso na praia. Em particular quando Brooke lhe contou que estava determinada a ser "selvagem" no verão, com ou sem ele. E se ele fizesse a coisa certa e se afastasse e ela acabasse saindo por aí e pegando o primeiro idiota para testar suas necessidades recém-descobertas?

Brooke confiava demais nas pessoas. E, depois de sete anos como detetive particular e cinco como policial, Rafe tinha dor de estômago em pensar no que poderia acontecer.

Droga, apenas uma hora havia se passado e ele já estava racionalizando que dormir com ela era a única forma de protegê-la e mantê-la segura.

Certo. Errado. Depois de todos esses anos, Rafe pensava saber exatamente até onde podia ir. Mas Brooke o fez pensar duas vezes sobre tudo. Tudo exceto a certeza de que ela iria surtar se ele tentasse fazer com ela algo parecido com sexo pervertido.

Mesmo assim, sexo romântico nunca pareceu tão bom...

CAPÍTULO NOVE

Assim que eles fizeram o pedido e a Senhora Lombardi trouxe duas taças de vinho tinto, Rafe ergueu a dele para um brinde. — A velhos amigos.

Brooke acrescentou. — E ótimos vizinhos. — Os dois bateram as taças.

Falando em mantê-la segura, assim que pediram, ele teve que perguntar sobre a conversa ao telefone que tinha ouvido. — Parece que seu negócio em Seattle está progredindo.

Ela assentiu com alegria. — Desculpe por ter atendido a ligação de Cord um pouco antes de sairmos. Ele estava tentando falar comigo o dia todo para que eu soubesse que ele encontrou o lugar perfeito na cidade para a nossa loja.

— Como vocês dois se conheceram?

— Ele foi colega do meu pai na Escola de Negócios de Harvard e professor visitante em Seattle há alguns anos. Por coincidência, alguém lhe enviou uma caixa das minhas trufas. Ele disse que eu o convenci a apreciar um bom chocolate e veio até o lago com um plano de negócios já traçado.

Uma adolescente que parecia estar de mau humor, e que Elise apresentou como sua neta, Holly, trouxe as saladas. Ela não parava de olhar de maneira ansiosa para a praia, em frente à vitrine do restaurante, onde um bando de adolescentes estava conversando. Rafe lembrou-se muito bem de como era ter dezesseis anos, com hormônios que dominavam as células cerebrais e um corpo bem mais maduro do que o restante dele.

Depois que a garota deixou escapar um suspiro e voltou para a cozinha, Rafe perguntou: — E a vida pessoal dele?

Brooke fez uma pausa com o garfo a meio caminho da boca e lhe lançou um olhar que dizia que ela sabia com precisão o que ele estava tramando: — Pensei que você estivesse aqui no lago para dar um tempo de investigar as pessoas.

Não havia por que negar que era bem isso que ele estava fazendo.
 — Estou, mas também ouvi que você iria transferir dinheiro para ele.
— Depois do que ela disse na praia sobre todo mundo errar em pensar que ela era ingênua e suave demais para cuidar de si mesma, ele sabia que não devia sugerir nada disso: — Eu faria esse tipo de pergunta para qualquer pessoa com quem me importasse.

Graças a Deus, em vez de ficar chateada com ele, Brooke sorriu. — Alguém já disse que você fica fofo quando está sendo superprotetor?

— Tenho certeza de que não é essa a palavra que a Mia usa.

Brooke riu. — Eu estava brincando sobre isso ser uma investigação. Você pode me perguntar o que quiser, Rafe. Qualquer coisa.

A forma como ela disse *qualquer coisa* fez sua boca ficar seca, então ele alcançou a taça e tomou um grande gole de vinho.

O problema era que ele queria saber muito sobre ela. Seu primeiro beijo. Seu primeiro namorado. O primeiro coração partido, se ele pudesse encontrar o cara para matá-lo. O mesmo servia para o primeiro amante... E todos os outros que o seguiram. Ele nunca quis ser o primeiro homem de uma mulher antes, nunca pensou que namorar uma virgem seria particularmente divertido, mas Brooke o fazia pensar — e sentir — coisas que ninguém mais tinha conseguido.

Ela era uma boa garota. Autêntica. Educada. Doce. Brooke deveria ser previsível e segura, mas, toda vez que estava perto dela, Rafe se sentia tateando por caminhos perigosos.

Ao mesmo tempo em que estar com Brooke era relaxante, pois ela não fazia joguinhos e dizia de modo exato o que pensava, também era aterrorizante. Ele nunca esteve com uma garota boazinha, sempre ficou com mulheres que sabiam as regras do jogo. Mas, apesar de Brooke ter dito que só queria um caso, ele não conseguia acreditar que ela só quisesse isso mesmo no fundo.

— Se vamos esperar por mais... — ela ergueu o pulso para olhar no relógio. — ... vinte e três horas, então você não acha que deveríamos usá-las para conversar? — E lambeu os lábios de forma inconscientemente sedutora antes de acrescentar. — Porque, assim que as vinte e quatro horas passarem, é provável que nossas bocas estejam ocupadas com outras coisas. Apesar de que — ela disse diante do silêncio de surpresa dele —, eu acho que a gente poderia usar essas horas para falar das coisas que vamos fazer um com o outro...

— Brooke. — O nome dela era uma advertência em seus lábios. Se ela não tomasse cuidado, iria descobrir quão selvagem ele era bem ali, no meio de um pequeno restaurante na rua principal.

Claro que ela não estava nem um pouco com medo dele. Na verdade, pela forma como seus olhos estavam dançando, ele sabia que estava sendo divertido para Brooke brincar com ele. Rafe ficava se perguntando o que ela faria em seguida para atingi-lo. Talvez fosse pedir para ele desenhar um diagrama da posição mais obscena que já tinha feito.

— Como você pode parecer tão inocente e dizer coisas desse tipo?

— Nunca fiz isso com mais ninguém — ela respondeu, com honestidade —, mas com você parece tão natural que não consigo evitar.

Ele queria arrastá-la sobre a mesa para servi-la como jantar. Por sorte, Holly trouxe os pratos naquele exato momento, quase os derrubando no colo deles por prestar mais atenção ao que estava acontecendo lá fora, na praia, do que aos clientes. Brooke agradeceu com doçura mesmo assim, e então, por alguns minutos, eles saborearam o melhor espaguete com almôndegas que já tinham experimentado em muito tempo.

A Senhora Lombardi veio até a mesa para ver se estava tudo bem.

— O que vocês acharam da famosa receita da minha avó? — perguntou a Rafe. — Ainda tão boa quanto era no tempo em que vocês eram crianças?

Rafe assentiu. — Está fantástico.

Brooke colocou a mão no coração e concordou. — O melhor que eu já comi.

Ela tinha um pouco de molho de tomate no canto da linda boca, e, sem pensar, ele o limpou com o guardanapo.

A anfitriã percebeu cada movimento, claro, junto com o fato de que nenhum dos dois usava aliança. Seu marido, o chef, veio cumprimentar Brooke rapidamente e apertar a mão de Rafe. Os olhos da esposa se encheram de amor ao observá-lo voltar para a cozinha.

— Jim e eu nos conhecemos no lago quando éramos crianças. Neste outono fará cinquenta anos.

— Que romântico! — Brooke exclamou. — Parabéns!

A campainha da porta tocou quando outro casal entrou, e, quando a mulher mais velha os deixou para recepcionar o casal, Brooke suspirou, com os olhos cheios de romance. — Já imaginou ficar tão apaixonada por cinquenta anos a ponto de olhar um para o outro como eles acabaram de fazer?

Rafe apontou para o casal no outro canto do restaurante que, ou estava olhando um para o outro sem falar nada ou brigando o tempo todo desde que ele e Brooke se sentaram. — Parece mais fácil imaginar casais daquele tipo. Tenho certeza de que não vão aguentar nem mais cinquenta minutos.

Brooke franziu a testa. — Como você pode ser tão cético? Seus pais são a definição do verdadeiro amor.

— Pelo que eu sei — ele não queria dar a ela a ideia errada em relação ao que pensava sobre romance e eternidade —, meus pais são a exceção, não a regra.

— Sei que você viu vários casamentos ruins por causa do seu trabalho, mas, acho que essas pessoas jamais deveriam ter ficado juntas, em primeiro lugar.

— Mesmo que isso seja verdade — ele argumentou —, não diminui a dor. O gerente do meu escritório compra mais caixas de lenços de papel para nossos clientes do que um alergista compraria. — Ele balançou a cabeça, em negação, ao se lembrar das mulheres chorando. — Se as pessoas choram assim quando terminam casamentos ruins, então tenho certeza de que nunca vou querer ver como é quando o amor verdadeiro dá errado.

— Mas, se é amor verdadeiro, como pode dar errado?

Ele não conseguia acreditar em como ela era otimista. Ela achava mesmo que havia tipos diferentes de amor... E, que se escolhesse o certo, você teria ganhado na loteria para sempre.

— De várias formas, Brooke. De tantas formas que eu poderia passar as próximas vinte e três horas fazendo uma lista delas para você.

— Eu preferiria que você me contasse a sua definição de amor verdadeiro.

De todas as coisas sobre as quais ele pensou que fossem conversar naquela noite, o *amor verdadeiro* jamais estaria em sua lista. — Sou homem — ele lembrou a ela. Com o polegar, ele apontou para sua Ducati pela janela da frente. — Ando de moto. Nunca tentei definir isso, além do fato de saber que só acontece uma vez a cada lua azul[1].

— Fico pensando no que vou conseguir fazer você falar primeiro — Brooke refletiu. — *Perversão* ou *amor verdadeiro*.

Ela ficou surpresa com mais uma risada de Rafe.

— Na verdade, prefiro ouvir você rindo assim outra vez. — E então ela o pegou com a guarda baixa mais uma vez ao dizer: — Tente agora. Só por diversão. Finja que o amor verdadeiro é real e está aí para encontrarmos.

Por um momento Rafe estava tão perdido nos olhos verdes de Brooke que não conseguia se lembrar do que ela queria que ele tentasse.

Ah, certo. Definir *amor verdadeiro*.

O cérebro dele ficou vazio até se lembrar de seus pais. — Mãos dadas. — Ela ficou em silêncio ao pensar mais sobre isso. — Rir juntos — O que mais? — Permanecer unidos, em especial quando passarem por tempos difíceis. — Quanto mais ele pensava nas formas como seus pais tinham sobrevivido juntos às tempestades, mais fácil ficava completar a lista. — E celebrar juntos os bons tempos.

— Você tem certeza de que nunca pensou no amor verdadeiro antes? — ela perguntou com a voz suave.

---

[1] Expressão que se refere a algo que só acontece raramente. (N.E.)

Ele deu de ombros. — Nunca ninguém me pediu para tentar antes.

— E se tivesse, ele teria rido na cara da pessoa. Era ele quem fazia as perguntas difíceis, não a pessoa que as respondia. Mas, quando ele tentou fazer uma piada sobre isso com Brooke, ela não deixou barato. Não importava o quanto parecesse doce, ela seria uma ótima detetive.

— Sua vez agora. Acredito que você tenha pensado bastante nisso no decorrer dos anos.

— Que garota não pensa *nisso*? — ela perguntou, com certeza para provocá-lo sobre o fato de ele ainda não ter falado as duas palavras em voz alta, referindo-se ao verdadeiro amor como *isso* e *aquilo*. Ela brincou com o cabo da taça de vinho por alguns minutos. — O amor verdadeiro seria uma paixão que queima com tanta força que você quase tem medo do poder que a outra pessoa exerce sobre você, da forma como o outro faz você revirar por dentro com um olhar, um toque, um beijo. Seria querer dormir todas as noites e acordar todas as manhãs pelo resto da sua vida nos braços da outra pessoa. Como você disse, seria dar as mãos, rir e construir uma família. E, acima de tudo, ser capaz de falar com o outro sobre absolutamente qualquer coisa, mesmo sabendo como é difícil dizer certas coisas, e ainda assim se amarem... E encontrarem uma forma de resolver tudo juntos. Seja lá o que for.

A neta da Senhora Lombardi retirou os pratos e os substituiu por um enorme pedaço de tiramisu, e Rafe ficou feliz com a distração. Ele não achava que tivesse ouvido algo mais bonito em sua vida do que Brooke falar sobre o significado do amor verdadeiro. O que era uma loucura, considerando que ele não conseguia imaginar essa conversa com mais ninguém, muito menos com as mulheres com quem tinha saído no decorrer dos anos. Não quando ele tinha certeza de que nenhuma delas acreditava na natureza estável do amor mais do que ele acreditava.

— Acabei de perceber que há mais uma coisa no amor verdadeiro — Brooke disse.

— Qual?

Ela deslizou o garfo sobre o tiramisu e sorriu para ele. — Este bolo.

Ele não entendia nada de amor, mas o olhar pecaminosamente prazeroso no rosto dela ao dar uma mordida no bolo o deixou com água na boca.

Não pela sobremesa. Por Brooke.

Um pouco depois, os dois deixaram uma generosa gorjeta na mesa e saíram de fininho antes que a Senhora Lombardi os fizesse pegar a gorjeta de volta. Antes de Brooke colocar o capacete, ela apontou para o céu.

— Olhe.

Havia surpresa em sua voz, e foi por puro instinto que ele colocou a mão na dela ao olhar para cima.

— Em poucos dias, será a lua azul.

Os dois se entreolharam, e nos olhos dela ele viu um lampejo súbito, inesperado, do que poderia significar o *para sempre*.

Parecendo tão surpresa quanto ele, Brooke deu um passo para trás quando o capacete caiu das suas mãos. Forçando-se a desviar o olhar do dela, Rafe o pegou, e, quando colocou a mecha de cabelo dela atrás da orelha antes de colocar o capacete, ela estremeceu.

Dessa vez ela subiu atrás dele como profissional, e, apesar de ser bem mais inteligente levá-la direto para casa e dar boa-noite, depois da forma como ela reagiu ao pequeno passeio até o restaurante, ele decidiu dar-lhe um presente fazendo um longo caminho de volta.

O sol tinha se posto, e as janelas das lojas da pequena rua principal ainda estavam iluminadas, assim como os chalés por todo o lago na floresta. Teria sido um ótimo passeio sozinho, mas era mil vezes melhor com Brooke.

Andar de moto sempre foi uma adrenalina. Uma excitação. Uma liberação. Não uma preliminar. E sem dúvida nada romântico.

Mas era tudo isso hoje.

Quando eles afinal estacionaram atrás do chalé de Brooke, ela tirou o capacete, estava vibrando de energia. — Pensei que fosse estar pronta desta vez para este passeio maravilhoso. Se isso ficar melhor a cada vez, vou explodir de emoção. Obrigada. — Ela se jogou nos braços dele, assim como fez na noite anterior, quando eles ficaram surpresos por terem se reencontrado. — O passeio de moto, o jantar e a companhia foram espetaculares.

— Foram, sim — ele concordou enquanto a deixou abraçá-lo por alguns segundos. Ela estava quente e macia, e ele não conseguia se lembrar de apreciar o contato de uma mulher assim. Depois de tê-la tão perto por trinta minutos, as pernas e os braços e as mãos ainda dadas firmemente, como se estivessem juntos na cama, ele só conseguia pensar em sexo... E em querer explodir pelo prazer que *ele* poderia dar a ela.

Brooke bocejou contra o ombro de Rafe, e ele se afastou. — Você trabalhou duro o dia todo, não apenas com seus chocolates, mas também limpando a minha casa. Vá para a cama agora.

— Prefiro ficar acordada com você.

Ele balançou a cabeça. — Nós dois sabemos o que vai acontecer se você ficar.

Aquela pequena ruga voltou ao meio das sobrancelhas dela, e ele teve que lhe dar um beijo bem ali.

Rafe sentiu o sopro quente da respiração de seus lábios ao toque dele antes de perguntar: — Me diga de novo. Por que você acha que é tão importante esperarmos?

Ele sabia que não era uma boa ideia, mas não conseguia soltá-la.

— Porque eu me importo com você. E quero ter certeza de que você teve tempo para pensar nisso. Eu jamais me perdoaria se dormíssemos juntos no calor do momento e você acordasse na manhã seguinte pensando que cometeu um erro.

Ela olhou para ele, as bocas a poucos centímetros de distância. — Tem certeza de que é comigo que você está se preocupando?

Não, ele não tinha mais certeza de coisa nenhuma. Só que ele precisava beijá-la mais do que precisava respirar.

As bocas se encontraram no meio do caminho, os lábios macios e frios por causa do passeio de moto. Ela tinha gosto de vinho tinto e bolo e uma doçura que era toda dela. Ele não conseguia ter o bastante dela, não conseguia se lembrar de uma única razão de já não estarem no quarto, tirando a roupa e possuindo um ao outro.

Ela o beijou com a mesma sensualidade inata com a qual fazia tudo, desde fazer trufas até jogá-lo na água e provocá-lo durante o jantar. Ele entrelaçou os dedos nos cabelos macios dela e inclinou a cabeça para trás para ter acesso total ao canto da sua boca. Ele tinha fome dela, estava desesperado por mais... O tempo todo sentindo que jamais conseguiria se sentir saciado por ela.

Ele queria tanto fazer a coisa certa, mas estava logo percebendo que, no que se referia a Brooke, ele não estava nem perto de ser forte o suficiente para seguir com isso.

— Brooke...

Ela pressionou as pontas dos dedos na boca de Rafe. — A única razão pela qual não levo você para a minha cama hoje é porque não quero que *você* pense que estar comigo é um erro também. Boa noite, Rafe. — Ela ficou na ponta dos pés para dar mais um beijo doce e macio em seus lábios. — Bons sonhos.

Ao observá-la caminhar para dentro de casa, a mesma pergunta ficou se repetindo na cabeça dele: por que diabos ele estava insistindo em fazê-los esperar vinte e quatro horas um pelo outro?

Mas ele já sabia a resposta. Brooke disse que podia ser casual em relação ao sexo, mas ele sabia que não. Ela não era assim.

No entanto, ele conseguia resistir a ela, mesmo com todos esses sinos de advertência tocando?

Sabendo que dormiria tão pouco hoje quanto havia dormido na noite anterior, ele pegou alguns cobertores grossos de uma das cadeiras da varanda e foi para a praia. Deitou-se com um dos braços debaixo da cabeça e os cobertores jogados por cima e ficou olhando para as estrelas, esforçando-se para se concentrar na beleza da noite clara, no som da brisa leve que fazia as folhas vibrarem, no coaxar dos sapos... Mas sua cabeça girava, cambaleando com o gosto de Brooke e sua necessidade desesperada por ter mais dela.

Só faltavam vinte horas…

CAPÍTULO DEZ

Na manhã seguinte, Brooke não ficou surpresa ao acordar e ver o quarto de Rafe vazio e a sua porta, aberta. Ele não era o tipo de homem que conseguia ficar ocioso, especialmente não quando estava tentando se distrair. Tomara que, ela pensou com um sorriso, ele não ficasse tão cansado ao final das vinte e quatro horas de espera. Porque, assim que ele enfim estivesse em sua cama, ela não planejava deixá-lo dormir em absoluto...

Ela pensou que não seria capaz de dormir com toda a ansiedade explodindo em suas veias, muito menos depois do beijo de boa-noite que sacudiu todo seu mundo, mas acabou tendo uma fantástica noite de sono. Talvez porque não se sentisse nem um pouco nervosa por estar com Rafe.

Brooke não via a hora de fazer amor com Rafe e sabia que seria a melhor experiência que iria viver, mais gostosa do que a melhor e mais rica trufa poderia ser. Sim, havia uma chance de que ele pudesse mudar de ideia, decidindo não arriscar sua amizade ao acrescentar sexo ao pacote, mas, do jeito que ele a beijou na noite anterior, ela calculava que as chances de isso acontecer eram bem pequenas.

Ela pretendia ajudá-lo com a casa mais uma vez naquele dia, mas não queria mesmo apressar o momento em que ficaria com ele. Algo lhe dizia que os dois juntos na mesma casa, ainda que fosse com vassouras e martelos nas mãos, faria com que eles logo se esquecessem de dar um ao outro um tempo para pensar melhor nas coisas. A verdade era que ela tinha muita coisa para fazer, ainda mais depois de Rafe tê-la virado de cabeça para baixo na noite anterior. Tanto ela acabou se esquecendo por completo de olhar as fotos da loja em Seattle que Cod mandou para seu e-mail.

Dez horas mais tarde, ela não apenas tinha aprovado a loja de frente para a rua em Seattle e transferido o dinheiro para o sócio como tinha conseguido acertar a receita de *Prazeres de Verão*. Rafe podia tê-la distraído do trabalho na noite anterior, mas hoje ela se sentia energizada, tão viva que tudo o que ela tocava dava certo.

Fazer trufas sempre foi maravilhosamente sensual, todos os sentidos eram envolvidos no processo, mas nunca tanto quanto agora. Toda vez que tinha que aquecer o chocolate na panela, ela pensava na forma como ele aquecia o corpo dela quando se aproximava. Toda vez que tinha que bater a ganache, ela pensava na forma como Rafe tinha batido contra a pele dela com suas mãos enormes e um pouco ásperas. E, quando ela deixou a trufa que tinha acabado de fazer derreter em sua boca, pensou em como foi delicioso ter a boca de Rafe sobre a sua... E ela não via a hora de saborear o restante dele também.

Mesmo assim, enquanto trabalhava na cozinha em seu novo lote de trufas, ela ficou o dia todo olhando para o relógio.

Só faltava uma hora, graças a Deus.

Rafe não voltou para a casa dela, mas Brooke o viu lá fora pela janela da cozinha, trabalhando de forma ainda mais dura do que no dia anterior. E em seu rosto, um olhar de extrema concentração. Ele não olhou para ela nenhuma vez, o que a deixou livre para encará-lo o quanto quisesse sempre que ele estava lá fora.

Ela ficava com água na boca só de pensar em como ele era lindo, como seus músculos ondulavam e tensionavam quando ele se mexia. Ela teve alguns amantes legais no decorrer dos anos, mas, apesar de ter dado tudo certo com esses homens na cama, seu mundo nunca saiu do eixo por eles. Algumas pessoas, ela supunha, dedicavam suas paixões a outras coisas. Seus pais tinham o direito e a teoria da economia. Ela tinha o chocolate e tentava se satisfazer com isso, apesar de sempre ter percebido que não era o bastante.

Com nada mais do que alguns beijos, Rafe tinha despertado suas paixões mais profundas de uma forma que ela não acreditava ser possível. E Brooke agora sabia que nunca ficaria satisfeita com nada menos que isso.

Quando o relógio mostrou que faltavam apenas os quarenta e cinco minutos finais, e ela afinal saiu da cozinha para voltar ao quarto e tirar a roupa, Brooke tremia ao pensar em Rafe derretendo-se na sua boca da forma como seus chocolates derretiam. Não era difícil adivinhar que ela não devia ser como as mulheres com quem Rafe costumava dormir. Não só porque ele usou a palavra *inocente* para descrevê-la, mas também porque homens altos, morenos e bonitos como ele sempre saíam com belas fêmeas insinuantes e exóticas equivalentes.

Ela não tinha necessidade de ficar de frente para o espelho para saber que não tinha nada de insinuante nem de exótica. Lembrando a si mesma que Rafe já a tinha visto de biquíni e sem dúvida tinha gostado do que viu, ela foi para o banho. Brooke nunca foi uma mulher muito preocupada com a aparência, mas hoje ela se depilou e passou creme em cada centímetro da sua pele, em forte ansiedade pelo toque dele.

Envolvendo-se em uma toalha, ela secou o cabelo, depois abriu a porta do armário e olhou para suas roupas.

O que uma pessoa usa para ser pervertida? Ainda mais se seu armário não tem nada de couro nem com correntes?

Bem, com certeza ela não queria parecer que estava se esforçando demais. Que bom que seria difícil mesmo, com um armário que consistia quase que por inteiro em vestidos, shorts, jeans e regatas. No final, apesar de ter escolhido um vestido simples de algodão branco de alcinha e corpete justo, era o que ela tinha escolhido vestir por baixo dele — ou *não* vestir por baixo dele, para ser mais específica — que a fez se sentir sexy de verdade. Talvez até mesmo no limite da perversão.

Ela não via a hora de ver como Rafe iria reagir quando percebesse que ela tinha deixado tanto o sutiã quanto a calcinha na gaveta da cômoda.

Pois por mais que ele tivesse dito que era mais do que ela podia lidar, Brooke sabia que estava segura com Rafe. Só um verdadeiro amigo poderia lhe dar um grande presente: a chance de brincar com fogo, sabendo o tempo todo que ele nunca de fato a deixaria se queimar.

Ela estava pegando a bolsa de maquiagem quando olhou no espelho do banheiro e percebeu que suas bochechas estavam enrubescidas e seus olhos já estavam brilhando bastante sem blush nem rímel. Até mesmo a boca estava cor-de-rosa, como se pensar nos beijos de Rafe já fosse suficiente para ficar com a aparência de ter acabado de ser beijada.

Faltavam cinco minutos.

O coração dela bateu um pouco mais rápido o dia todo. Agora, batia como louco.

A noite toda, o dia todo, o cérebro não parava de repetir suas palavras: *Ontem à noite você me chamou de selvagem. Você tem razão. Eu sou selvagem.* Brooke olhou para si mesma pela última vez, mas mal via seu reflexo diante da crescente excitação.

Como é que ela conseguiu durar vinte e quatro horas?

Brooke abriu a porta do quarto e entrou descalça na sala de estar. A forma como o algodão macio do vestido deslizava pelas suas curvas nuas só aumentava sua falta de ar, em especial quando ela percebeu que Rafe já estava lá.

Ele se virou da janela, o cabelo ainda úmido por causa da ducha que acabara de tomar. Ele tinha um aroma de limpeza, de masculinidade e de pura delícia e parecia mais do que maravilhoso de calça jeans e camiseta. Até mesmo os pés descalços estavam bronzeados e lindos.

Por um longo momento eles ficaram em pé, entreolhando-se, da mesma forma como fizeram duas noites antes, quando ele chegou na sua motocicleta e ela apareceu depois de nadar no lago.

Por fim, Rafe quebrou o silêncio pesado. — Hoje você está especial. Com esse vestido. Brooke, você é linda. — Ele parecia perder o fôlego por mais palavras naquela altura, e então os dois foram na direção um do outro.

Ela não sabe quem chegou ao outro primeiro, só que suas mãos de repente estavam na dele, que a trazia cada vez mais para perto. Cada movimento, cada toque, parecia tão certo. Tão perfeito.

Tão destinados um ao outro.

— Já se passaram vinte e quatro horas. — Ele deslizou as duas mãos pelos braços, ombros e pescoço dela até acariciar seu rosto com as pontas dos polegares. — Como você se sente?

Dolorida — sua confissão saiu quase como um sussurro.

Os olhos negros brilhavam de tanto calor que a respiração mal conseguia chegar em sua garganta.

Você está dolorida — ele repetiu com voz rouca. — Onde?

— Por toda parte.

Com um gemido, ele abaixou a boca na altura da dela, e ela quase conseguiu sentir o gosto dele quando ele ficou parado a poucos centímetros dos lábios dela. — Última chance, Brooke.

Ela mal conseguia pensar com clareza quando o queria com tanta força, mas sabia que era importante tentar entender o que ele tinha acabado de dizer. — Para quê?

— Para mudar de ideia. — Um músculo saltou na mandíbula dele. — Me peça para soltá-la e eu não vou tocá-la outra vez.

Pensar nele não a tocando fazia seu estômago revirar de dor. — Não ouse me soltar.

Ela prendeu os dentes no tecido da camiseta para trazê-lo mais para perto, e suas bocas se encontraram em um beijo quente e frenético. Ela estava desesperada para compensar pelos mil quatrocentos e quarenta minutos perdidos, precisando muito preencher todos os beijos perdidos por eles.

Como se ele conseguisse sentir que ela precisava de consolo, ele deslizou as mãos pelos cabelos dela e levantou a boca longe o bastante, de forma que seus lábios mal se tocavam. Dava para sentir a respiração quente na boca úmida de Brooke, e ela tremeu quando ele a beijou de novo, de forma mais gentil dessa vez, só com a leve pressão dos seus lábios contra os dela.

O beijo dele era ao mesmo tempo doce… e imponente. Sem uma palavra, apenas com toques suaves, ele desacelerava os dois, deixando-os mais saborear um ao outro do que simplesmente se devorar sem pensar nem apreciar o momento.

E, ah, como ele saboreava.

Ninguém jamais a beijou assim, devagar, saboreando cada centímetro de sua boca, de canto a canto, do arco do lábio superior ao centro exuberante do lábio inferior. As mãos se abriram e fecharam em sua camisa conforme ondas de prazer moviam-se sobre ela. E então a língua dele voltava para dentro da boca de Brooke para encontrar-se com a dela, causando outro choque doce de felicidade que percorria seu corpo todo até os dedos dos pés. Sem sutiã, os seios fartos avolumavam-se no corpete do vestido, e ela, por instinto, moveu as mãos do peito dele para enlaçá-las em seu pescoço para que pudesse pressionar seu corpo contra o dele.

Foi aí que ele ergueu a cabeça para olhar para ela com tanto calor e mais desejo do que ela jamais tinha visto no rosto de um homem. — Você é maravilhosa.

— Nunca me senti assim antes. — Com qualquer outra pessoa que não fosse Rafe, ela teria ficado tímida ao expressar seu desejo, poderia não ter sido capaz de expressá-lo em palavras. Mas ela sabia que estava segura com ele... Mesmo vendo que o desejo que explodia dentro dela era a coisa mais perigosamente bela que já tinha visto. — Nunca precisei de nada, *de ninguém*... — E mordeu a orelha dela e ela ofegou de prazer. — Tanto quanto preciso de você.

Um pouco mais tarde, sua boca dominou a dela mais uma vez. Brooke se perdeu em seu beijo, em seu gosto delicioso, na chocante sensação sensual da língua dele tocando a sua.

— Esta noite — ele murmurou cheio de calor contra os lábios dela — não será nem de perto suficiente para todas as coisas que eu quero fazer com você.

— Você pode levar o tempo que precisar — ela respondeu, a excitação aumentando mais que o pensamento, que o questionamento, do que todas essas *coisas* poderiam ser. Quando ele abaixou a boca até a curva do ombro dela, Brooke mal conseguia esperar para descobrir.

Os dentes de Rafe mordiscaram sua pele no exato momento em que ele abaixou uma das alças. Ah, como ela adorava sentir sua língua deslizar sobre a pequena mordida, e então a sensação incrível da boca toda sugando uma parte do seu corpo que ela teria jurado que não era nada sensível nem sensual. Um pouco depois, ele deu ao outro ombro o mesmo tratamento, abaixando a alça ao mesmo tempo em que sentia sua carne com uma pequena mordida seguida pelo toque quente da sua língua e depois a sucção rápida em sua pele, que fazia seus braços tremerem.

Quando ele ergueu a cabeça, seus olhos brilhavam com o mesmo calor e necessidade que ela sabia que estavam refletidos em seus olhos.

— Preciso ver você — ele disse, a voz baixa raspando em sua pele como se a estivesse tocando.

— Sim — ela sussurrou. — Por favor.

Com a maior delicadeza possível, ele deslocou as mãos para o corpete e aos poucos deslizou o tecido até a altura dos seios, só até o ponto em que seus mamilos ficavam à mostra. Ele parou bem ali e olhou para ela.

— Você não está usando sutiã.

— Só o vestido.

Seus olhos se arregalaram. — Só o vestido?

Ela assentiu e, com toda a audácia, procurou as mãos dele, posicionando-as sobre seus quadris para que ele sentisse por si mesmo a verdade em suas palavras. Os olhos dele se fecharam e as narinas se dilataram quando ele segurou seus quadris e foi deslizando as mãos pelo corpo dela.

— Tão loucamente bela, Brooke.

Ela nunca tinha ouvido ninguém falar dela, ou sobre ela, com tanta surpresa. Mas, antes que ela pudesse dizer a ele como ele também era bonito, ele entrelaçou seus dedos nos dela e a levou em direção ao quarto.

— Já esperei pelas vinte e quatro horas mais longas da minha vida. Não posso esperar nem mais um segundo.

Eles tinham acabado de entrar no quarto quando ouviram uma batida forte na porta da frente. Os dois pararam e olharam na direção da varanda da frente, depois se entreolharam.

Ele apertou a mãos contra a dela. — Você está esperando alguém?

— Não. Talvez, se ignorarmos, eles vão embora.

Mas, claro, a batida ficou mais forte na segunda vez. Rafe passou a mão livre pelo cabelo, demonstrando a clara frustração. Um pouco depois, ele ajeitou o vestido de Brooke e levantou as alças até os ombros. Ele abaixou a boca na direção da dela para um último beijo bem forte, que teria evoluído para algo mais se as batidas na porta não tivessem continuado.

— Vá atender a porta antes que a derrubem.

Rafe foi com ela para a sala de estar, e ver quem estava na varanda pela janela causou-lhe tamanho choque que ele ficou mudo por um tempo enquanto ela abria a porta da frente.

— Ah, meu Deus — Mia Sullivan deu um abraço acolhedor em uma Brooke bastante surpresa. — Olhe só para você! Você está absolutamente *maravilhosa*, Brooke.

Os braços de Adam Sullivan foram os próximos a envolvê-la, o segundo irmão Sullivan a abraçá-la nos últimos quinze minutos. Quando ele a soltou, seus olhos estavam calorosos ao moverem-se para o rosto dela, e ele concordou. — Absolutamente maravilhosa.

Quando ela se deu conta, Rafe estava em pé na varanda com os três, olhando de maneira furiosa para os irmãos.

CAPÍTULO ONZE

Rafe não conseguia acreditar em sua sorte. Ele esperou vinte e quatro malditas horas para ter Brooke nua debaixo dele... Quando *conseguiu,* seu irmão e sua irmã aparecem sem serem convidados?

Só podia ser algum tipo de piada doentia, um carma voltando para chutar seu traseiro por todas as coisas ruins que ele já havia feito.

Ou, ele pensou com um nó no estômago, era um sinal de que ele deveria manter as mãos longe de Brooke?

Em outras condições ele teria ficado feliz por ver a irmã e o irmão, mas, naquela noite, tudo o que ele queria, fosse certo ou errado, era que eles dessem meia-volta e seguissem para Seattle para que ele pudesse ter Brooke só para si.

— O que vocês estão fazendo aqui?

— Surpresa! — Mia disse, levantando uma garrafa de espumante. — Viemos brindar à nova casa com o melhor espumante da vinícula do primo Marcus e ver o que podemos ajudar a consertar até amanhã, antes de voltarmos para Seattle. A mamãe e o papai teriam vindo também, mas foram velejar com Dylan por alguns dias. E, pelo que sabemos, pode ser que Ian nunca mais volte de Londres.

Rafe teria ficado grato pela ajuda dos irmãos. Mas, em vez de demonstrar gratidão, tudo o que ele conseguiu dizer foi: — Então vocês vão passar a noite aqui?

— Rafe, está tarde. Claro que eles vão ficar — Brooke fez um gesto para que todos a seguissem para dentro da casa com um amplo sorriso para os irmãos de Rafe. Um pouco antes ela estava tão solta em seus braços, e agora seus movimentos estavam meio tensos. — Estou tão feliz por vocês dois estarem aqui. Faz tanto tempo.

Mia e Adam não eram estúpidos — nem um pouco — e sabiam o que estava acontecendo. Não era difícil juntar os fatos: o mau humor dele diante da chegada inesperada, combinada à boca beijada de Brooke, a pele enrubescida e o fato de ela estar usando o vestido mais sensual do planeta.

Com nada por baixo.

Deus o ajude.

Rafe cerrou os punhos ao se lembrar da forma como Adam tinha abraçado Brooke. Seu irmão era grande e rígido, e ela parecia tão pequena e suave abraçada a ele, e tudo o que Rafe conseguia pensar era em arrancar seu irmão dela e jogá-lo de cabeça no lago. Adam era um bom rapaz, mas não era nenhum santo em relação às mulheres. E Rafe conseguia perceber que Adam estava apreciando as curvas expostas de Brooke e sua pele macia.

Quem em sã consciência não apreciaria?

— Decidimos que seria divertido fazer uma surpresa para Rafe — Os olhos de Mia brilhavam ao olhar para os dois. — E, nossa, estou feliz por termos feito isso.

— Vocês estão com fome? — Brooke perguntou.

— Jantamos na estrada — Mia respondeu —, mas eu adoraria levar o vinho para fora e bebê-lo junto com marshmallows assados na fogueira. — Ela ergueu outra sacola, que tinha bolachas de água e sal, marshmallows e chocolate.

— Que ótima ideia! — disse Brooke, ainda sem olhar para Rafe.

Será que ela estava constrangida por quase ter sido pega nua com ele pelos irmãos? Ou será que só estava tão frustrada quanto ele por não ter sido capaz de terminar o que tinham esperado tanto tempo para começar?

— Já que tenho certeza de que vocês dois estão loucos para ver sua velha casa — disse Brooke —, que tal eu encontrar vocês lá fora depois que vestir algo mais quente?

Sim, era uma ótima ideia. Talvez, se ele fosse para sua casa, onde não pudesse ver Brooke, não pudesse sentir o perfume do sabonete em sua pele fresca com uma pontada de excitação, ele conseguisse se recompor de forma a passar a noite com mais tranquilidade.

Menos de sessenta segundos mais tarde, os três Sullivans estavam dentro de sua velha casa, debaixo da única lâmpada tremeluzente pendurada no teto que iluminava o que seria a sala de estar quando ele colocasse o lugar nos eixos.

— Estou feliz em ver que as coisas não mudaram muito — disse Adam. — Sei que há alguns problemas cosméticos, mas ainda parece um lar, não parece?

Apesar de Rafe estar irritado até a alma por seus planos com Brooke terem indo por água abaixo, a clara excitação de Adam era contagiante. — Não vejo a hora de trabalhar nisso, e você?

— Eu tinha planos quando éramos crianças — seu irmão restaurador de casas confirmou. — Assim que Mia me contou que você comprou a casa, eu os tirei do baú — Adam bateu a mão no bolso. — Vou mostrar para você assim que nos aquecermos em volta da fogueira.

Atirar-se ao trabalho com os planos de Adam para consertar a casa talvez fosse a única coisa que iria fazer Rafe conseguir passar mais uma noite longe de Brooke sem enlouquecer. Só que ele já sabia que nenhum plano de reforma iria superar a confissão sussurrada em sua cabeça de que ela sentia dor pela ansiedade de tê-lo.

Trabalhando duro para se concentrar na casa, Rafe comentou: — Você tem razão ao dizer que o alicerce da casa está bom, mas é óbvio que quem quer que tenha sido o dono desta casa nos últimos quinze anos não estava muito preocupado com a manutenção. Eu estava pensando...

Mia o cortou batendo palmas em seu ouvido. — Por favor, parem. Tive que passar as últimas duas horas no carro ouvindo os planos de Adam para reformar esta casa. Será que a gente pode falar de outra coisa que não seja suportes de apoio nem paredes de sustentação por um tempo? Tipo, talvez, sobre como as coisas estão maravilhosas aqui?

Diante do apelo da irmã, eles se viraram para olhar pela janela para a lua que despontava sobre o lago. — Continua sendo um dos lugares mais lindos do mundo — Adam concordou, mas era óbvio que não via a hora de inspecionar a casa. Ele pegou a lanterna que estava no chão perto da porta e disse: — Volto em alguns minutos.

Assim que ele se afastou, Mia desviou o olhar do lago para encurralar Rafe. — Você e Brooke estão dormindo juntos?

Não, droga, mas só porque vocês apareceram exatamente na hora errada.

— Não é da sua conta o que estamos ou não fazendo.

Ela não se abalou: — Você precisa desta casa, Rafe. Do lago. De um tempo longe de todo o lixo com o qual você lida no trabalho. — A expressão de Mia era bem mais séria do que o usual. — Adoro a Brooke e estou muito feliz por ela estar de volta em nossas vidas, mas você acha que é mesmo uma boa ideia se envolver com ela, que mora bem ao lado?

Droga, ele odiava ouvir a irmã ecoar suas preocupações... Em particular quando quase tinha conseguido mandar toda a razão embora no calor do desejo insaciável. — Tudo vai ficar bem, Mia.

Uma onda de surpresa passou pelo olhar dela. — Você não está ouvindo a razão, está? Apesar de que — ela acrescentou antes que ele pudesse responder —, se você não começar a namorá-la, considerando a forma como os olhos de Adam se arregalaram quando ela abriu a porta, tenho certeza de que ele vai tomar a iniciativa.

— Ela não vai namorar o Adam — Rafe disse com um tom ríspido. — E nós também não estamos namorando.

Mia arqueou as sobrancelhas. — Então o que vocês dois estão fazendo? Porque com certeza não pareceu que estavam jogando cartas quando ela abriu a porta.

— Já falei que não é da sua conta.

— Você é meu irmão e ela é minha amiga, uma amiga que não vejo há muito tempo — Mia suspirou de um jeito dramático. — Quando você conseguir estragar tudo, vou ter que acabar escolhendo de que lado ficar... E claro que vou ter que escolher você, porque somos parentes.

— Não vai haver lado nenhum.

— Como você pode ter tanta certeza?

— Brooke é adulta. Eu também. Mesmo que a gente se divirta juntos neste verão, ninguém vai se magoar.

— Ah, merda — resmungou a irmã. — Vocês não fizeram um acordo maluco sobre ser apenas um caso de verão sem vínculos, fizeram?

— Mia — ele disse o nome dela como um aviso para que parasse, mas é claro que a irmã caçula o ignorou.

— Deixe-me ver se consigo me lembrar de uma situação em que essa história de não ter vínculos tenha funcionado para alguém. — Havia sarcasmo em todas as suas palavras enquanto ela mostrava estar refletindo sobre isso. — Não, não consigo pensar em nenhuma.

— Brooke é bem mais forte do que você pensa.

— Tenho certeza que sim — ela disse —, mas lhe ocorreu que talvez não seja com ela que eu estou preocupada?

Nada do que a irmã disse poderia tê-lo deixado mais surpreso. Eles, os irmãos, podiam ter passado a maior parte das suas vidas irritando uns aos outros, mas no final das contas era com a família que eles mais se importavam. Sem dúvida, Mia precisava da certeza de que ele não estava no fundo do poço.

— Você estava certa sobre eu precisar de uma pausa do trabalho,

mas, agora que voltei para o lago, pode parar de se preocupar. Eu jamais faria qualquer coisa para magoar Brooke. E eu e você sabemos que ela é doce demais para me magoar de alguma forma.

Mia se atirou nos braços dele e lhe deu um abraço apertado, uma garotinha irritante que tinha se transformado em uma mulher que amava com a ferocidade de uma leoa.

— Não consigo parar de pensar no psicopata que foi atrás de você em Seattle. Você sabe que a mamãe e o papai ficaram horrorizados, mas saiba que eles não foram os únicos. Nós todos ficamos.

— Eu também amo você, mana. — Ele retribuiu o abraço com força suficiente para erguê-la do chão. — Venha, vamos encontrar o Adam e fazer a fogueira para começarmos a assar os marshmallows.

Conforme Rafe e Mia prepararam a fogueira no espaço delimitado na praia, Adam afinal saiu de dentro da casa, limpando as teias de aranha dos ombros e do cabelo. Quando Brooke caminhou até a praia para unir-se a eles com quatro taças de champanhe nas mãos, Rafe percebeu que ela estava usando jeans e uma camiseta de manga longa. Mesmo assim, de calça comprida em vez do vestido branco sexy como o diabo, ela não conseguia esconder a sensualidade natural. Pelo contrário, as insinuações da pele nua e das curvas voluptuosas por trás do tecido quase potencializavam sua postura.

Lá estava mais uma razão para pensar em Brooke além de um caso de verão. Como ele poderia viver a vida querendo matar todo cara que olhasse para ela, até mesmo o próprio irmão? Ainda mais quando um cara não conseguia evitar olhar para ela, a despeito do fato de ela não estar ostentando nada de propósito.

Com um floreio, Mia tirou a rolha da garrafa da vinícola Sullivan,
e o líquido espumante e frisante escorreu na areia. Cada um pegou uma taça. Mia as encheu e eles fizeram um brinde.

— À nova casa de Rafe no lago.

— A Mia, por ter encontrado o anúncio da casa antes de todo mundo — Brooke acrescentou.

— E às maravilhosas trufas de Brooke — disse Rafe, incapaz de tirar os olhos da incrível beleza na luz da fogueira até conseguir se virar para tocar o copo da irmã.

Todos brindaram e beberam, depois encontraram lugares na areia para se esticar.

— *Amei* saber que você faz trufas para vender — Mia disse à velha amiga. — Seus avós ficariam tão orgulhosos.

Os olhos de Brooke ficaram úmidos ao dar à amiga um sorriso meio trêmulo. — Obrigada por ter dito isso.

— Todos nós sentimos muito por eles não estarem aqui conosco hoje.

Mia apertou as mãos de Brooke, e depois de um momento de silêncio no qual todos se lembraram do Senhor e da Senhora Jansen, Rafe queria muito colocar Brooke em seu colo para abraçá-la até toda a tristeza passar.

— Rafe me disse que vocês dois estão se saindo brilhantemente no trabalho — Brooke disse aos irmãos de Rafe. — Banco Imobiliário sempre foi o seu jogo predileto, não é mesmo, Mia?

Mais uma vez Rafe estava surpreso por tudo o que Brooke tinha percebido quando eram crianças. Era óbvio que Mia também estava.

— Era, sim — Mia sorriu para Brooke. — E fazer chocolate com a sua avó era o seu.

— Lembra quando Dylan me convenceu a fazer uma leva de lama e você comeu como um desafio?

Mia levou a mão ao estômago. — Nem me lembre disso.

— Você nunca conseguia dizer não a um desafio — Adam disse, sorrindo.

Como sempre, Brooke encaixava-se com perfeição em sua família. Ela era uma pessoa divertida. O sexo seria de explodir a mente... Quer dizer, se seus irmãos algum dia os deixassem sozinhos. Ela já era quase uma Sullivan. Deus sabia quanto seus pais ficariam alegres se ele decidisse ter mais do que um caso de verão e a levasse para casa como namorada.

Era perfeito. Tão perfeito que ele sabia que não devia confiar nisso.

Não quando ele já tinha visto o "perfeito" se espatifar em pedacinhos pelo menos mil vezes.

Mesmo sabendo disso — e com a voz de Mia em sua cabeça dizendo que os casos de verãos nunca davam certo —, Rafe ainda não conseguia manter o autocontrole e desistir de Brooke.

Brooke virou-se para se concentrar em Adam. — Você trabalha com tipos específicos de casa?

— Qualquer casa que chame a minha atenção. A idade ou a arquitetura são menos importantes para mim do que a sensação que tenho do lugar. Veja a casa dos seus avós, por exemplo. Ela não adere à sensibilidade particular de qualquer um, mas o seu avô tinha um bom olho, sabia do que gostava e não estava nem aí por não ser estritamente artesanal.

Apesar de a expressão de Brooke ter se suavizado, Rafe ainda achava que ela parecia um pouco chateada. — Eu sempre amei esta casa. Os outros lugares em que eu morava não importavam; meu verdadeiro lar sempre foi aqui. Tentei mantê-lo da melhor forma possível, mas tenho certeza de que estou me esquecendo de várias coisas que meu avô sempre fazia.

— Amanhã de manhã, que tal eu ver como andam as coisas? Seu avô sempre me deixava ficar com ele para ajudá-lo, embora pudesse fazer as coisas duas vezes mais rápido sem mim por perto. É o mínimo que eu posso fazer.

— Uau, será ótimo, Adam. Obrigada.

Era irracional ficar irritado com o irmão pelo fato de ele ter se oferecido para ajudar na casa de Brooke. Que droga. Rafe já devia ter se oferecido para fazer isso. Mas ele estava bem longe de ser racional hoje.

— Honestamente — Mia disse. — Ainda não consigo acreditar que você faz trufas para vender.

Rafe complementou. — Você vai ficar ainda mais impressionada quando experimentar uma.

— Que tal eu trazer algumas para comermos com os marshmallows? — Brooke sugeriu, já se levantando.

— Sim, por favor — Mia disse com um enorme sorriso quando Adam assentiu, aprovando a ideia também.

Mia estava prestes a levantar-se para ajudar a amiga quando Brooke gesticulou para que ficasse na areia. — Você só tem uma noite aqui. Deve ficar perto do lago o máximo que conseguir. Vou ver se os banheiros e os quartos estão arrumados para vocês quando eu entrar, então não se preocupem se eu demorar um pouco.

Rafe observou Brooke praticamente sair correndo de perto dos três e franziu a testa. Ela estava amigável como sempre com os irmãos, mas, ao mesmo tempo, ele não conseguia parar de imaginar que algo estava errado.

Levantando-se, Rafe disse: — Eu fico no sofá, então você pode ficar no quarto em que eu estava, Adam. Fiquem aí na fogueira que vou pegar as minhas coisas e arrumar a cama para você para que Brooke não tenha que fazer isso também.

Ele precisava encontrar Brooke e ter certeza de que tudo ainda estava bem.

CAPÍTULO DOZE

Brooke estava mesmo emocionada por rever Mia e Adam. Mesmo assim, uma vozinha em sua cabeça, da qual ela não se orgulhava muito, ficava perguntando: *A reunião de família tinha que ser hoje?*

Normalmente ela teria adorado sentar-se à beira do lago na fogueira, colocando a conversa em dia com os velhos amigos enquanto os marshmallows assavam e o espumante era saboreado. Mas ela ainda podia sentir os beijos de Rafe em seus lábios, o calor daqueles músculos rígidos queimando sua pele por debaixo das roupas... E a promessa calorosa de mais prazer que ela jamais tinha sentido antes nos olhos dele.

Manter-se ocupada era a única forma de conseguir passar aquela noite e o dia seguinte. Ela entrou no armário onde ficavam as roupas de cama extras. Tinha acabado de pegar um conjunto da prateleira quando ouviu passos, e estava prestes a colocar a cabeça para fora do armário para espiar se alguém precisava de algo, quando Rafe entrou e fechou a porta atrás de si.

Na mesma hora, o coração dela começou a bater como louco, tão alto que ela levou alguns segundos para perceber que ele havia trancado a porta.

— Rafe? Está tudo bem?

— Foi isso que eu vim perguntar a você. — Ele tirou os lençóis dos braços dela e os colocou de volta na prateleira. — Não paro de pensar no que você me disse antes de os meus irmãos chegarem.

Ela ficou com a respiração presa na garganta ao olhar para ele. De alguma forma, conseguiu dizer algo. — Qual parte?

Ele pegou nas mãos dela e as trouxe para perto de si. — Quando você me disse que sentia dor. — Ele aninhou o rosto nos cabelos dela, e ela enlaçou os braços ao redor dele, exatamente onde desejava ter estado na hora que se passou. — Não suporto a ideia de você se sentir assim a noite toda.

Sua boca desceu até a altura da dela antes que ela pudesse pensar com clareza, e então tudo o que ela conseguia pensar era no gosto dele, na sensação dos músculos debaixo de seus dedos, na forma como seu beijo a fazia derreter por dentro até ela pressionar o corpo contra o dele só para se manter em pé.

— Deixe-me tirar a dor, Brooke.

Tudo dentro dela estava girando tão rápido que ela não conseguia pensar de forma coerente. Ela queria tanto o que ele estava oferecendo que mal teve forças para lembrar a ele. — Mas seus irmãos estão lá fora.

Ele tirou uma mecha de cabelo da frente do rosto dela, os dedos deixaram um caminho de fogo em sua bochecha. — Sei que não posso fazer amor com você enquanto eles estiverem aqui, mas há outras coisas que eu *posso* fazer, coisas que vão fazer com que se sinta bem melhor. Eles sabem que estamos arrumando os quartos de hóspedes para eles. Temos pouco tempo antes que eles esperem que estejamos de volta.

— Eu quero tanto, mas não sei se posso... — ela não conseguiu dizer o restante das palavras ao sentir o rosto corar mais do que já estava.

— Diga-me, querida — Rafe implorou.

Ela engoliu fundo ao sussurrar. — Não sei se posso ficar quieta o suficiente para que eles não me ouçam.

Os olhos de Rafe se arregalaram ainda mais ao deslizar o polegar sobre o lábio superior dela. — Garanto que ninguém vai ouvir.

O corpo dela se encheu de uma onda de calor líquido diante da promessa dele, uma promessa que ela não sabia como ele conseguiria cumprir. Claro, quando ele segurou seu rosto com as duas mãos e a olhou com uma pergunta nos olhos, ela não conseguiu fazer mais nada além de assentir.

Ele pegou a barra da camiseta de manga longa dela, e, ao tirá-la com rapidez, disse: — Da próxima vez que fizermos isso, prometo que vou tão devagar que você vai me implorar.

Ele não sabia que ela estava quase implorando, só pela forma como ele parou para vê-la de sutiã?

— Toda vez que vejo você, penso que estarei preparado para admirar sua beleza. — Ele abaixou as alças do sutiã até a altura dos ombros. — Mas nunca estou. Não estou nem perto de estar.

Ela já estava ofegando muito quando ele esticou as mãos para abrir o fecho do sutiã. E, então, logo seus seios estavam nus diante dele, os mamilos intumescidos perante o calor de seu olhar faminto.

— *Brooke.*

Ele mal conseguiu pronunciar o nome dela antes de envolver os seios com suas mãos enormes e abaixar-se para senti-los com a boca. Ela agarrou sua cabeça com força, as mãos se entrelaçaram aos cabelos negros enquanto ele lambia o mamilo, mordiscando-o de leve. A mão direita brincava com o seio esquerdo, apertando, acariciando, provocando. E então a outra mão tomou o lugar da boca e a boca foi para o outro seio.

— Deus, como você é doce — ele murmurou ao erguer a cabeça. — Preciso sentir mais do seu gosto. Agora. Preciso de você agora.

Só a boca e as mãos nos seios já tinham sido a experiência mais sensual da sua vida. Mas as mãos de Rafe movendo-se para o zíper da calça antes de ele se ajoelhar na frente dela, tirando sua calça, fez com que ela pensasse que poderia queimar só pelo calor do olhar sombrio dele sobre ela.

Ele deslizou os dedos nas laterais da calcinha, e embora ele tivesse se desculpado por precisar agir rápido, a renda raspando devagar em sua pele quase a deixou louca. Ela não percebeu que estava segurando o fôlego até o pequeno pedaço de tecido atingir o chão. Com um sopro dos pulmões, ela começou a respirar de novo, mas, quando Rafe aproximou-se e ela sentiu a respiração quente entre as coxas, não conseguia mais.

Suas pernas estavam enlouquecedoramente trêmulas, mas ele a segurava firme com uma das mãos ao redor da cintura e a outra acariciando a lateral do quadril.

Os olhos negros moveram-se na direção do rosto de Brooke. — Brooke?

Ela nunca tinha feito isso antes com outro homem, ficar nua na frente dele enquanto ele se ajoelhava aos seus pés para senti-la com a boca. Mas com Rafe não havia medo nem constrangimento ou preocupações. Só necessidade e um sussurrado — *Por favor*.

Mas, quando Rafe se aproximou e passou a língua no corpo dela, Brooke percebeu que a dor que tinha sentido antes não era nada comparada à forma como ele a fazia sentir agora, deslizando a língua aos poucos, a doce pressão dos dedos dentro dela. Era como se Rafe conhecesse o corpo dela melhor que ela mesma, sabendo em que ponto exato tocar e a precisão de como acariciar. Não existia nada além dos dois naquele momento de perfeito prazer, e, ah, como ela queria poder ficar só mais um pouco para saborear de verdade cada deliciosa explosão de sensação. Mas a maneira como ele a estava tocando, beijando-a, era tão boa... E ela esperou tempo demais para ele ter aquele tipo de controle.

Assim que seus músculos internos começaram a se contrair ao redor dele, ela sussurrou. — *Rafe* — com voz urgente. Continuando os movimentos bruscos dos dedos dentro dela enquanto o polegar massageava o clitóris, ele se levantou apressado para cobrir a boca de Brooke com a dele e engolir seus gritos de prazer.

Brooke pulou contra a mão dele quando o clímax tomou conta de cada uma de suas células. E, embora seu corpo enfim tivesse se acomodado depois do orgasmo incrível, ele não parou de beijá-la, como se não pudesse se sentir saciado. Ele continuou a acariciar com delicadeza a carne sensível quando afinal separou sua boca da de Brooke.

— Melhor?

Ela ainda não conseguia encontrar voz para dizer como ele a tinha feito se sentir bem, mas podia colocar os dedos sobre a enorme ereção por baixo do jeans.

— Um pouco melhor — ela sussurrou quando ele pegou seus quadris com força para aproximá-los do seu corpo, e ela pegou no zíper da calça dele. A última coisa que ela esperava que ele fosse fazer era tirar as mãos do meio das pernas dela e afastar-se.

— Você sabe o quanto eu quero continuar fazendo isso, mas não há como conseguir me deixar quieto enquanto fazemos.

Brooke não se importava mais em ficar quieta. Tudo o que ela queria era tocá-lo como ele a havia tocado, senti-lo da forma como ele a havia sentido. Ela estava quase chegando à altura dos joelhos dele quando ouviu a porta da frente se abrir.

— Não é justo — ela protestou quando ele se levantou.

— Já que foi minha ideia idiota esperar vinte e quatro horas, mereço a punição de esperar para você me tocar também.

Antes que ela pudesse lhe dizer que era a maior bobagem — e que ela precisava do prazer dele tanto quanto ele —, ele já lhe entregava suas roupas. Ele lhe deu um último beijo poderoso antes de pegar um conjunto de lençóis limpos.

E a deixou mais dolorida por ele do que nunca.

CAPÍTULO TREZE

Rafe arrancou outra tira do velho linóleo nojento com ambas as mãos. Acordado desde as cinco horas da manhã, ele já tinha conseguido arrancar o piso da casa quase toda. Deveria estar satisfeito por ter conseguido um sério avanço, mas sentia seu corpo revirar por dentro sempre que pensava no que havia feito com Brooke na noite anterior.

Ele a trancou no armário, tirou suas roupas em tempo recorde e se deleitou com ela... Tudo isso com os irmãos a trinta metros de distância. Ele sabia que ela ficou nervosa por Mia e Adam estarem por perto, mas também sabia que a primeira vez dos dois juntos deveria ser especial. Ela era o tipo de mulher que merecia rosas e luz de velas, ser cortejada com palavras suaves. Ele prometeu manter o controle, mas não tinha conseguido fazer isso nem mesmo por malditos quinze segundos.

Bastou sentir sua boca uma vez, passar as mãos sobre a pele nua uma vez, e ele perdeu qualquer esperança de manter o controle.

Mesmo assim, Rafe sentiu uma conexão com Brooke que jamais tinha sentido com mais ninguém. Mesmo naquele cômodo apertado, sabendo que eles tinham que ficar quietos e não tinham mais do que alguns segundos, cada beijo mexia com mais do que o seu corpo. Senti-la só o deixou mais faminto pela chance de deitar-se em uma cama com ela e levar todo o tempo necessário para degustar a sua beleza, o seu perfume, a sua doçura, da cabeça aos pés.

Adam entrou bem na hora em que Rafe terminou de arrancar o último pedaço do piso. — Cara, estou feliz por termos ido nadar hoje de manhã. Nunca gostei de arrancar linóleo. Você deveria ter vindo nadar com a gente. Foi muito bom pular no lago.

Rafe não confiava em si mesmo com Brooke por perto de biquíni, então se trancou em casa com o linóleo sujo. O irmão lhe entregou uma xícara de café e ele tomou um bom gole quente.

— Posso usar a sua caminhonete para comprar piso novo e armários para a cozinha?

— Claro. Vou com você.

Os irmãos estavam na metade do caminho da loja de ferramentas quando Adam enfim veio com o elefante branco na caminhonete. — Você ficou lá dentro "ajudando" Brooke por um bom tempo ontem à noite.

Rafe não ficou surpreso quando a irmã tocou no assunto na noite anterior. Mas o irmão não era exatamente muito bom em falar de sentimentos. Claro que Rafe sabia que Adam também não estava falando de sentimentos. Sexo era tudo com que o irmão se importava. Em outras situações, Rafe teria concordado por inteiro.

Mas com Brooke era diferente.

— O que quer que você diga em seguida — Rafe disse a Adam com um tom de advertência —, é melhor ser cauteloso.

O irmão arqueou as sobrancelhas. — Nesse caso, creio que os detalhes sobre como ela é gostosa sem...

Rafe não estava nem aí que Adam estivesse dirigindo no momento nem que ele tivesse vindo de carro de Seattle para ajudá-lo a consertar a casa. Ele nunca ia deixar ninguém se safar ao falar de Brooke como se ela fosse uma vagabunda com quem ele estava dormindo por um tempo.

Rafe apertou a mão ao redor da garganta de Adam e disse: — Mandei ser cauteloso.

O irmão levantou uma das mãos do volante, como se fosse uma bandeira inocente, e Rafe tirou devagar a sua da traqueia do irmão.

— Você sabe que eu gosto dela — Adam esfregou a garganta e tossiu, tremendo ao engolir. — Ela era uma criança fofa e agora... — ele parou de falar antes que Rafe o atacasse outra vez por ter dito algo errado. — Sem dúvida, ela não é mais criança — Adam fez uma pausa antes de perguntar: — Tem certeza de que se divertir com a vizinha é uma boa ideia?

Rafe não tinha certeza de nada. Por isso ele respondeu a pergunta do irmão com outra pergunta: — Se você estivesse na minha posição, conseguiria ficar longe dela?

Adam parou o carro no estacionamento da loja de ferramentas. — Nem tenho por que me importar em responder isso. Ela sempre quis você. — Com isso, ele entrou na loja para dar uma olhada na seção de pisos como se o irmão não o tivesse estrangulado por causa de uma garota bonita cinco minutos antes.

Brooke e Mia estavam abaixadas sobre as latas de tintas na sala de estar, abrindo o perfeito tom de azul que Mia tinha trazido consigo.

Rafe e Adam ainda estavam na loja de ferramentas, e era a primeira vez que as garotas estavam sozinhas desde a noite anterior.

— Lembra daquela vez em que pegamos as tintas no porão dos meus pais e desenhamos nas paredes?

Brooke riu e chacoalhou a cabeça diante da lembrança de como elas já foram crianças levadas um dia. — Ainda não consigo acreditar que Claudia e Max foram tão legais. Em vez de gritarem com a gente e nos fazerem limpar tudo, seus pais até acrescentaram coisas em nossos desenhos e perguntaram aos meus avós se eles queriam pintar com a gente também.

Brooke mexeu a tinta com uma vara de madeira longa e depois, com cuidado, derrubou-a em uma bandeja de plástico. As duas tinham sido mais do que boas amigas, e Brooke estava surpresa por Mia não ter mencionado Rafe ainda. Mia nunca foi do tipo de pessoa que guarda as coisas para si, algo que Brooke sempre invejou nela. Invejava e tentava imitar cada vez mais.

E foi por isso que ela decidiu quebrar o gelo dizendo: — Quando éramos crianças, nunca nos cansávamos de falar sobre os garotos.

De canto de olho, ela conseguia ver que o pincel de Mia ainda pintava as ripas do teto. — Não precisávamos falar muito para eu saber que você tinha uma queda por Rafe.

Brooke sentiu as bochechas corarem. Mas ela tinha que ser mais do que corajosa para falar de Rafe com Mia, tinha que continuar com o assunto... Onde quer que a levasse.

Ela abaixou o rolo e admitiu. — Nunca deixei de ter essa queda.

Mia também abaixou o pincel e desceu até a metade da escada. — É óbvio que ele sente o mesmo.

Pelo olhar no rosto da amiga, Brooke indagou. — Mas?

Mia suspirou. — Amo meu irmão, mesmo apesar de querer socá-lo às vezes. Você deve ter percebido que ele mudou bastante.

Brooke concordou. — Ele me contou um pouco sobre o trabalho como detetive. Não consigo imaginar como deve ser horrível pegar tantas pessoas traindo seus companheiros.

— Uau — disse Mia. — Não acredito que ele tenha contado isso a você. Ele *nunca* fala do trabalho. Nem mesmo com a gente. — Sua expressão de preocupação desapareceu e foi substituída por um enorme sorriso. — Por outro lado, você não tem nada a ver com as outras mulheres com quem ele já ficou.

— Tecnicamente, a gente não... — Brooke parou de falar ao perceber que na verdade *tinha ficado*, pelo menos da parte dela, na noite anterior, no armário de roupa de cama. Ela deixou escapar uma risada abafada. — Essa conversa é tão estranha para você quanto é para mim?

Mia riu e disse: — Será bem estranho se você começar a me dar os detalhes sórdidos.

— Não — Brooke prometeu. — Juro que não vou fazer isso. Nunca.

— Não que você tenha pedido minha bênção — Mia disse: — Mas quero que você saiba que a tem. Embora haja uma condição. Bem, duas, na verdade.

Sabendo como Rafe e a irmã eram próximos, Brooke sentiu o coração bater forte no peito: — Quais?

— Um — Mia disse, levantando o dedo indicador. — Jamais minta para o Rafe ou o traia. Não consigo pensar em nada que possa acabar mais rápido com meu irmão do que isso.

— Eu nunca faria isso — Brooke protestou de imediato.

— Sei disso, mas não estaria cumprindo meu dever de irmã se não dissesse. Então não fique brava comigo, está bem?

— Claro que não estou brava com você — Brooke tranquilizou a velha amiga.

— Que bom, porque a segunda condição tem a ver com a sua natureza generosa.

Brooke arqueou a sobrancelha. — Como assim?

— Você sabe que os caras são meio sem noção e às vezes estragam tudo sem querer. Ainda mais quando ficam com medo se as coisas vão indo rápido demais ou estão sendo boas demais.

— É você que tem quatro irmãos mais velhos, então não vou duvidar de você.

— Se ele estragar tudo...

Brooke interrompeu Mia. — Sinceramente, não há nada ainda para ser estragado.

Mia fez um gesto para que Brooke parasse de falar. — Vai haver.

E, se eu conheço meu irmão, ele não vai apenas se permitir ser feliz para sempre.

— *Feliz para sempre?*

Brooke mal conseguia respirar. Ela e Rafe iam ter um caso de verão. Iam ser um pouco selvagem juntos. Ninguém estava almejando uma proposta de casamento e uma aliança.

Ou será que ela estava?

Se Mia conseguia ver que ela estava surtando, a amiga não deixou transparecer ao dizer: — Ele é meu irmão, então eu tenho que amá-lo, não importa o que ele faça. Mas você tem que escolher amá-lo.

Amá-lo? De todas as formas que ela pensou que a conversa com a irmã de Rafe fosse fluir, ela não imaginou que fosse chegar tão longe.

— Mia, é serio, a gente só vai...

— Eu sei, é só um caso de verão. Mas, se algum dia se tornar algo mais, e Rafe começar a estragar as coisas, tudo o que estou pedindo a você é que tente se lembrar de que os homens são idiotas... E que nunca o vi olhando para ninguém da forma como ele olha para você.

— Ele... — Brooke engoliu fundo. — Ele olha para mim de um jeito diferente?

Mia sorriu e se inclinou como se tivesse um segredo a compartilhar. — Ele olha para você como se fosse ter muito mais do que apenas um caso de verão.

Brooke estava feliz que ela e Mia estivessem conversando, mas ela simplesmente não tinha certeza do que dizer sobre felizes para sempre e mais do que um caso de verão. Dizendo a si mesma que não era justo se elas apenas conversassem sobre ela. — E você? Algo ou alguém no horizonte?

Mia deu de ombros. — Para mim são todos casos de verão.

Brooke inclinou a cabeça para o lado: — Nunca houve alguém especial?

— Uma vez pensei que sim, mas estava enganada.

A dor na voz da amiga surpreendeu Brooke. Mas, antes que ela pudesse oferecer conforto, Rafe e Adam estacionaram na entrada de carros atrás da casa. Como se tivesse recebido um golpe de sorte, Mia foi ver o piso que eles escolheram na loja de ferramentas. Era óbvio que Mia ficava mais à vontade em falar da vida amorosa de outras pessoas do que da sua.

— Tudo certo? — Rafe perguntou quando Brooke chegou ao seu lado, um pouco depois.

Ela havia pegado o rolo de tinta de novo e estava se esforçando para agir como se tudo estivesse normal. Em particular porque ainda estava meio atordoada com a conversa que tinha acabado de ter com a irmã dele.

— Não quero que você se canse por minha causa.

Ele estava perto o bastante para que ela conseguisse sentir o calor irradiando da sua pele. — Está tudo ótimo.

A voz dela saiu estridente demais, mas, graças a Deus, ele não pareceu perceber o tom agudo.

— Estou feliz por ouvir, embora tenha um pouco de tinta em você bem aqui.

Os olhos dela se fecharam quando o dedo dele roçou sua bochecha de leve. Ela mal conseguiu respirar por um longo momento, não quando cada palavra, cada beijo, cada carinho da noite anterior voltavam em sua mente de forma doce e súbita.

Quando por fim se recuperou o suficiente para olhar para Rafe, Brooke quase deixou cair o rolo diante do calor negro dos olhos dele.

Nunca o vi olhando para ninguém da forma como ele olha para você.

Ela viu o desejo selvagem e a luxúria perigosa em seu rosto... Mas havia algo mais também? Algo que tivesse mais a ver com emoção do que com calor?

Uma coisa era dormir com Rafe, ser *selvagem*. Mas e quanto ter um homem como ele não só por um verão, mas para sempre?

Brooke soube da verdade em seu coração em um instante: ela nunca quis tanto uma coisa.

Apesar de os pais tentarem tanto protegê-la a vida toda, ela assumiu alguns riscos. Um exemplo disso foi ter mudado para o lago em tempo integral. Começar sua empresa de chocolate. Fazer uma sociedade com Cord para expandir. Agora ela percebia que todos esses riscos eram apenas testes para a verdadeira situação.

Para arriscar seu coração.

Ela sabia que deveria se lembrar do que Rafe tinha dito na praia: *Eu não conseguiria viver comigo mesmo se a magoasse de alguma forma.* Ele disse como se tivesse certeza de que iria acabar magoando-a se eles ultrapassassem o limite da amizade, indo para um novo patamar.

Ele não tirou o dedo do rosto dela depois de remover a tinta, e aninhou o queixo dela com as mãos e começou a inclinar a cabeça para a posição que ela agora sabia que era a sua preferida para beijos mais profundos. E, então, todos os pensamentos de Brooke culminaram em um só.

Eu quero esse homem.

Pelo tempo que puder tê-lo.

Trufas de chocolate não duravam para sempre também, mas, ah, como ela apreciava um sabor perfeito. Ela iria fazer o mesmo com Rafe, iria apreciar cada precioso momento com ele, perto ou longe de seus braços.

Sua boca estava quase na dela quando a voz de Adam levou os dois para a porta dos fundos. — Ei, Brooke, você está aí?

Um músculo saltou no pescoço de Rafe quando ele tirou as mãos do rosto dela e se afastou. Na hora em que Adam chegou à sala de estar, Rafe já tinha ido para a caminhonete para começar a levar as coisas para dentro.

— Não queria me esquecer de perguntar... Há alguma forma de encomendar seus chocolates pela internet?

— Ainda não, mas meu sócio disse que logo teremos um site. Por enquanto, você pode me dizer o que deseja ou me ligar de Seattle quando quiser. Mas eu sei você virá nos visitar com frequência para pegá-las comigo pessoalmente. É óbvio que Rafe adora ter vocês por perto.

Ela amava a forma como os três cuidavam um do outro. Brooke rezava para, uma dia, ter uma família assim, em que as crianças brigariam e discutiriam e se provocariam, mas se amariam muito mais. Brooke sorriu para Adam. Ele era lindo, igual ao irmão, mas nunca fez o seu coração acelerar como Rafe fazia.

— Eu adoro ter os *Sullivans Selvagens* como vizinhos outra vez também.

Em vez de sorrir para ela, Adam só a encarou por um momento, tempo que bastava para ela perguntar: — Ainda estou com tinta no rosto?

— Não. É que você é perfeita como é. — Ela sentiu os olhos se arregalarem com as palavras dele, mas aquilo não era nada perto do que ele disse em seguida: — Meu irmão tem muita sorte.

Antes que Brooke pudesse começar a pensar em como reagir, Adam saiu do local para ajudar a carregar o novo piso.

O sol começava a se pôr no céu na hora que eles acabaram de colocar o novo piso de madeira em mais da metade da casa. Além disso,

Brooke e Mia tinham pintado a sala de estar e a cozinha. Rafe ficou surpreso pelo tanto que conseguiram fazer em três dias, em especial com a ajuda dos irmãos. Ele conseguiria sair da casa de Brooke mais cedo do que pensava.

As mulheres sempre reclamavam de que ele gostava demais do próprio espaço, mas ele não chegou nem perto de se sentir saciado em relação a Brooke. Talvez depois de transarem algumas vezes...

Não, não havia razão para mentir para si mesmo; ele sabia que dormir com ela só faria com que ele quisesse mais, não menos.

Brooke voltou para a casa dela para terminar alguns pedidos de última hora quando Adam disse a Mia: — É melhor a gente pegar a estrada. — O irmão de Rafe olhou ao redor da casa do lago com satisfação óbvia. — O lugar está começando a tomar jeito.

— Assim que a mobília chegar — disse Mia — vai ficar bem melhor. — Quando Rafe reclamou por ter que mobiliar a casa toda, a irmã sorriu para ele. — Já encomendei a maior parte da mobília de que você vai precisar. Eles disseram que vão entregar no final da semana, então é melhor você acabar o piso até lá. Falei para eles que meu irmão mais velho merecia o melhor.

Foi uma enorme surpresa. Uma surpresa muito boa, dado o fato de que ela o tinha poupado da amolação de comprar mobília. Por outro lado, ele tinha a sensação de que ia ficar bem menos feliz quando visse quanto dinheiro ela tinha gastado.

Além de ajudá-lo com o piso, Adam fez anotações para algumas reformas que estava planejando implementar em seu tempo livre durante o verão, quando pudesse voltar ao lago. Considerando que o irmão já estava sobrecarregado de clientes que queriam seu toque mágico em casas históricas, Rafe sabia que estava fazendo um grande negócio.

Apesar de ter ficado meio ranzinza com a aparição abrupta dos irmãos na noite anterior, receber a ajuda deles significou muito para Rafe, todos eles trabalhando para trazer a velha casa do lago de volta à vida. Ele até podia ter sido a pessoa que comprou a casa, mas, pelo que sabia, a casa era tão deles quanto era sua.

— Obrigado, pessoal. — Ele não disse pelo que estava agradecendo, mas sabia que não precisava dizer. Não quando sua família sempre entendia todas as coisas que ele não sabia colocar em palavras.

Eles encontraram Brooke na cozinha, colocando tampa em algumas caixas grandes e douradas de trufas. — Estamos aqui para nos despedir — Mia disse a ela —, e obrigada por nos acolher sem absolutamente aviso prévio nenhum.

— Sei que não somos parentes — Brooke disse com uma voz suave e cheia de emoção —, mas sempre senti como se fôssemos. E adorei vocês terem vindo sem telefonar antes, pois é bem isso que a minha família teria feito.

Brooke abraçou Mia e Adam, deu uma caixa de trufas para cada um, e então eles pegaram as mochilas e foram para a caminhonete de Adam, deixando Rafe e Brooke sozinhos mais uma vez, no exato lugar em que estavam havia vinte e quatro horas.

— Nosso irmão está doido pela vizinha — Adam disse para a irmã quando eles deixaram o lago para trás.

— Claro que está — Mia respondeu. — Quem não estaria? Eu vi a forma como seus olhos quase saltaram da cabeça quando ela abriu a porta ontem, e hoje, quando a gente nadou de manhã.

— Ela é linda — Adam admitiu —, mas ele namorou várias meninas lindas antes.

— Ela é também inteligente. Doce. E, o mais importante, ela o conhecia antes de ele ficar tão deformado pelo trabalho e por todos aqueles canalhas que pegou traindo.

— Verdade, mas eu tenho certeza de que aquilo que ela fez com ele lá dentro enquanto a gente estava na fogueira não foi ruim, não.

Mia fez uma careta. — Fala sério, será que dá para a gente não comentar sobre a vida sexual do Rafe com a nossa amiga?

— Tudo bem — Adam logo concordou.

Rápido demais, Mia pensou. Ela deu um tapa no braço dele. Com força.

— Ai! — Ele tirou a mão esquerda do volante para esfregar o tríceps. — Por que você fez isso?

— Só porque você não está falando sobre os dois transando não significa que não esteja pensando nisso. E, como é provável, com detalhes lance a lance.

Ele fingiu tocar baixo quando cantou a paródia da trilha sonora de um filme pornográfico de má qualidade. Ela escondeu a risada com um som de repugnância.

— É sério. Pare! Ela é quase a namorada do seu irmão. E, se ele não conseguir estragar tudo, ela poderá ser mais que isso um dia.

— Duvido que isso me faça parar — ele disse a ela e então fingiu tocar baixo outra vez.

Homens. Eram todos uns idiotas. Ainda mais seus irmãos.

Mesmo assim, ela esperava que Rafe não fosse estragar as coisas com uma das mulheres mais maravilhosas que conhecia, e que Brooke pudesse ser enfim a pessoa que conseguiria ultrapassar o muro alto que Rafe tinha construído ao redor de si mesmo. Toda vez que Mia tentava conversar com ele sobre o ataque a faca, ele de imediato a fazia se calar. Algo lhe dizia que, se alguém poderia quebrar esse muro e curar as feridas internas que ele não conseguia admitir, esse alguém era Brooke.

Infelizmente, considerando que o irmão não tinha assumido a relação o suficiente para admitir que ele e Brooke eram um casal, ela sabia que não adiantaria ter muita esperança.

Suspirando, ela ligou o rádio e estava planejando não pensar em nada pelo restante da viagem, mas uma música tocou e fez seu corpo inteiro ficar tenso.

Adam começou a bater os dedos de acordo com o ritmo no volante.
— Adoro essa mús....

Ela desligou o rádio assim que a canção chegou ao refrão.

— Por que você desligou?

— Estou com enxaqueca. O rádio estava fazendo minha cabeça doer.

Ela quase nunca tinha dores de cabeça, mas Adam não sabia disso, então, por sorte, ele não perguntou por que ela reagiu com tanta intensidade à música.

Mia teve cinco anos para superar. Para superá-*lo*. Ela devia conseguir ouvir as músicas dele, no mínimo, sem sentir o estômago revirar... Sem que lembranças a agredissem.

CAPÍTULO CATORZE

Até que enfim os irmãos de Rafe foram embora, o que significava que ele e Brooke afinal estavam livres para arrancar as roupas um do outro e continuar de onde tinham parado na noite anterior. Mas ele não conseguia parar de sentir que já tinha ido longe demais, rápido demais, fazendo o que fez no armário de roupa de cama. Não ajudava o fato de não terem tido tempo sozinhos durante o dia para conversar a fim de que ele pudesse verificar como ela estava se sentindo... Ou se ela tinha mudado de ideia.

Quarenta e oito horas atrás ele tinha certeza de que deveriam frear a atração mútua para preservar a amizade. Embora só tivessem tido quinze minutos de paixão roubada, ele sabia que não estava nem perto de ser mais tão simples assim.

Amigos. Amantes. Vizinhos.

Família.

Brooke já era todas essas coisas para ele.

O bater macio da água na orla do lago de repente parecia alto demais conforme o silêncio entre eles crescia na cozinha. Rafe nunca ficava nervoso. Não quando estava fazendo algum trabalho perigoso e secreto, e nunca quando estava com uma mulher.

Mas ficar sozinho na cozinha com uma bela garota de grandes olhos verdes fazia seu coração bater bem forte.

Se ele fosse cavalheiro, se tivesse honra, ele a deixaria dizer o que quer que estivesse preocupando seu lábio inferior entre os dentes, e então lhe daria espaço se fosse isso que ela queria. Mas nada conseguia impedi-lo de se aproximar dela. Ele apenas tinha que abraçá-la, tinha que sentir sua pele macia debaixo de seus dedos, tinha que fazê-la estremecer ao seu toque.

Só que, pela primeira vez, ela não se aproximou dele, não apertou o rosto contra o dele nem enlaçou os braços ao redor do seu pescoço. Ele conseguia sentir o coração dela batendo tão forte quanto o seu.

— A sua irmã...

— Gosta de meter o nariz onde não é chamada.

Brooke parecia séria demais. Ele queria vê-la sorrindo outra vez, queria tanto ver seu rosto corar de prazer antes de fechar os olhos como sempre fazia quando ele a beijava.

— Ela ama você — Brooke disse ao olhar para ele. O olhar estava cheio de desejo, mas havia preocupação também. — Ansiei ser selvagem por tanto tempo que, quando vi você de novo, perdi a noção de todo o resto. Perdi a noção do fato de que os amigos devem sempre cuidar um do outro. Só estava pensando em mim mesma, no que eu quero. Você tentou várias formas diferentes de manter a distância na praia, tentou me explicar por que a gente não deveria fazer isso, mas eu não ouvi. Não queria ouvir o que você queria, pois estava ocupada demais pensando em mim.

— Quantas vezes eu tenho que dizer que estou *morrendo* de vontade de ficar com você, Brooke? De quantas formas diferentes tenho que mostrar isso para você? — Suas palavras estavam cheias de frustração, as mãos flexionaram-se nas curvas superiores do seu quadril ao trazê-la para perto. — Eu queria tanto você ontem à noite que tranquei você em um armário para conseguir o que eu queria. Disse que era por você, que estava lá para amenizar sua dor, mas era por mim, Brooke. Por *mim*. Pois eu não conseguia esperar mais um maldito segundo para sentir você, para saborear você.

— Eu também não conseguia esperar — ela disse, mas, mesmo enquanto ela tentava isentá-lo de culpa, Rafe sabia que tinha muito a compensar para Brooke.

— Nossa primeira vez juntos não deveria ter sido tão rápida, tão apressada. Deixe-me compensar para você.

A respiração dela estava mais acelerada, os seios pressionavam o peito dele com sensualidade enquanto ela olhava para ele. Ele ficou surpreso quando a sua boca curvou-se em um pequeno sorriso um pouco depois.

— Nós dois estamos sendo idiotas, não estamos, discutindo sobre quem foi mais egoísta? Talvez — ela disse com um sorriso lento — pudéssemos discutir sobre quem dá mais prazer ao outro hoje à noite?

O enorme peso que carregou sobre os ombros o dia todo por fim começou a diminuir quando ele sorriu para ela.

— Não vamos discutir mais nada — ele disse ao deslizar as mãos pelos quadris de Brooke para sentir suas curvas macias. — Hoje será só você. Só o seu prazer. Só as suas necessidades.

Dava para sentir o batimento cardíaco dela acelerar em seu peito ao dizer com voz rouca. — Gosto dessa ideia. Muito. Só que na noite passada eu não consegui...

Ele cobriu a boca de Brooke com a sua antes que ela pudesse lembrar a ele o que faria no armário de roupa de cama. O problema era que a visão de Brooke de joelhos na frente dele queimava seus olhos, e

Rafe ficou duro como uma pedra pensando nisso quase a cada minuto desde a noite anterior.

Ele deslizou as mãos pelo corpo dela, sentindo sua bela silhueta de violão, entrelaçou os dedos em seus cabelos e inclinou a cabeça dela exatamente no ângulo certo para tomar a boca de Brooke com sua língua. E então nenhum dos dois estava mais cauteloso conforme os beijos quentes afastaram quaisquer preocupações que tinham sobre magoar um ao outro.

Prazer.

Era nisso que iam se concentrar naquela noite, era a única coisa que importava.

Ontem houve tempo suficiente para ficar nervosa, para planejar e ficar ansiosa. Mas as últimas vinte e quatro horas foram tão cheias de hóspedes inesperados e emoções que Brooke ficou quase surpresa em ver-se nos braços de Rafe.

Mas, ah, enquanto ele a beijava e ela se derretia em seus braços do jeito que fazia toda vez que os lábios dele tocavam os seus, ela sabia que não deveria ter motivos para ficar nervosa ou preocupada. Nada nunca foi tão natural como a paixão entre eles, dois amigos destinados a se tornar muito mais.

E era o passado deles — todas as pequenas conexões moldadas em churrascos de verão e concursos de castelos de areia entre uma garota e um adolescente selvagem — que tornava fácil para ela mergulhar de cabeça no que quer que o futuro lhes reservasse.

Ele pegou a mão dela e a pressionou contra a parede. — Preciso de você na cama, nua, debaixo de mim, por quarenta e oito horas. Não posso esperar mais nem um segundo por você, Brooke.

Ninguém nunca havia falado com ela assim antes, com um desejo tão franco, desenhando imagens com as palavras que a faziam tremer de prazer da mesma forma que suas carícias faziam. Segundos mais tarde, Rafe fechou a porta do quarto atrás deles e a trancou. Ela já sabia que o som de uma fechadura sendo trancada seria para sempre uma indicação, uma promessa que Rafe faria a ela sobre o prazer que iria lhe dar com as mãos, com os lábios, com seu...

Os pensamentos de Brooke foram roubados pela boca de Rafe sobre a sua. Beijá-lo dessa forma, com a língua entrelaçando-se à sua, os dentes delicadamente mordiscando o lábio inferior, somente isso já era mais prazer do que ela jamais pensou viver.

Todas as vezes até agora, seus beijos foram interrompidos, ou pela consciência de Rafe, que vinha atrapalhar, ou pela chegada dos irmãos. Hoje ela enfim teria tempo bastante para descobrir de verdade não apenas o sabor dele, para poder senti-lo, mas também como poderiam dar prazeres individuais um ao outro e multiplicá-los juntos.

Ela tocou no canto da boca de Rafe com a língua, e a forma como os músculos peitorais saltaram debaixo das mãos dela lhe disse o quanto ele tinha gostado. Deslizando a língua devagar pelo lábio inferior dele, Brooke foi até o outro canto e o lambeu. O prazer tomou conta de todo o seu organismo pela forma como Rafe reagia a nada mais do que a pressão úmida da sua língua. Ela queria sentir mais o sabor dele, muito mais, mas não estava nem perto de terminar o momento com os lábios dele ainda.

Era fácil para Rafe dominar o beijo, Brooke podia sentir seu domínio inato mesmo deixando-a explorá-lo. Deslizando as mãos do peito dele para acariciar as fortes marcas de expressão de seu pescoço e maxilar, ela sentiu a barba por fazer roçar em seus dedos, enviando ondas de prazer a cada centímetro do seu corpo, e continuou deslizando a língua entre os lábios dele em um gemido delicado.

Logo, o calor do beijo deles os dominou e afastou qualquer controle que estavam tendo. Brooke não conseguia se aproximar como queria, nem mesmo com os braços enlaçados com força ao redor do pescoço dela, com os seios, a barriga e os quadris pressionados contra a frente de seu corpo rígido.

Rafe afastou a boca de Brooke: — Hora de deixar você nua.

Ela o queria nu também, mas não conseguia encontrar oxigênio para juntar as palavras para dizer a ele, não quando ele já estava provocando uma faixa de pele nua debaixo da barra da regata com os dedos ao levantar aos poucos o tecido azul. Ele já a tinha despido antes, no armário de roupas de cama, também trancado, mas hoje tudo parecia tão novo, como se a noite passada tivesse sido um ensaio para a apresentação verdadeira.

Ele a surpreendeu, aproximando-se para dar-lhe um beijo em cada centímetro da pele que ia ficando nua. Era glorioso ser tão apreciada... Mas como é que ela conseguiria chegar inteira à manhã seguinte?

— Rafe — ela sussurrou, e teria implorado para ele ir mais rápido se ele não tivesse reagido ao sorrir em sua barriga.

— Prometi a você ontem à noite que da próxima vez que fizéssemos isso eu iria tão devagar que você iria me implorar — ele murmurou sobre a pele dela, a respiração quente enviando calafrios em meio as suas palavras. Ele ergueu o olhar sombrio na altura do dela. — Nunca quebro minhas promessas.

Um pouco depois, ele levantou a camiseta de algodão de forma a dar beijos quentes na parte inferior dos seios pelo sutiã. Os ombros dele eram fortes e cheios de tendões rígidos quando ela os sentiu. Logo ele iria se mover mais um pouco e sua boca iria encontrar...

Ah, Deus.

A prece sussurrada saiu de seus lábios quando os lábios de Rafe fecharam-se sobre seu mamilo, a seda úmida no mesmo instante debaixo do doce movimento da língua dele sobre a carne excitada. As batidas do coração aceleraram-se quando ele a beijou por toda a seda e depois a pele nua entre os seus seios e mais seda até encontrar seu outro mamilo com os lábios e a língua.

— Tão doce, até por cima da seda. — Ele pressionou um beijo até o centro da garganta antes de mudar de posição para tirar a camiseta toda por cima da cabeça.

Brooke costumava usar lingerie bem mais reveladora do que aquele sutiã de seda azul-clara. Mas a forma como Rafe estava olhando para ela, que estava na frente dele com um sutiã simples e um short, fazia com que ela se sentisse como se estivesse usando as roupas íntimas mais sensuais que existiam. Quando ele se aproximou para passar as pontas de dois dedos sobre as curvas dos seus seios, onde a carne se elevava sobre a seda, ela não era a única que estremecia de necessidade.

Querendo tanto tocá-lo da forma como ele a estava tocando, Brooke pegou a camiseta dele. Suas mãos pegaram a dela antes que ela pudesse levantar a camiseta.

— Você ainda não está nua. — Os olhos dele moviam-se com rapidez, com calor, com fome, sobre os seios parcialmente expostos e a cintura. — Não chegou nem perto.

— Não é justo. — Ela fez beicinho. — Você já me provou ontem à noite. — Em vez de deixá-la arrancar sua camiseta, ele entrelaçou os dedos nos dela e os levou à boca para pressionar um beijo suave em cada um deles. — Quando você faz isso, faz com que eu me esqueça.

— Se esquecer de quê? — Os olhos dele ainda estavam negros de desejo, mas, conforme ela o provocava, eles também dançavam com um toque de luz que ela queria tanto ver nele mais uma vez.

De alguma forma, ela conseguiu se lembrar. — Que essa deveria ser a minha vez.

Ele se abaixou para sentir a lateral do pescoço dela com a boca. — Me diga como você faz trufas.

Com o sangue subindo quente pelo corpo até chegar aos ouvidos, ela mal conseguia entender as palavras, tudo o que conseguiu foi repetir. — Trufas?

— Quanto tempo demora para fazê-las direito? Para bater o chocolate até atingir a consistência certa?

Ela teria conseguido entender as perguntas com mais facilidade se não fosse pelo fato de que ele tinha encontrado mais um ponto sensível do outro lado do pescoço dela.

— Você consegue obter a doçura perfeita com pressa, Brooke? Você consegue obter a maciez perfeita com pressa? — Cada palavra quente e úmida contra um diferente pedaço da pele do pescoço dela, do queixo e da boca, conforme ele a lambia uma vez e depois duas vezes, como se não tivesse chegado nem perto de sentir o gosto dela da primeira vez. — Você pode apressar o sabor perfeito de prazer na sua língua?

— *Não.* — Ela desistiu de responder diante da doce coação, o tipo de coação que só Rafe sabia empregar.

— Você tem que ser paciente com suas trufas, não tem?

Mais uma vez a sábia persuasão era a única coisa que poderia tirar o *Sim* de seus lábios, que selava seu destino.

— Você e eu não vamos apressar nada também — ele disse ao provocar seus dedos pela cintura dela até chegar à altura do short. — Um doce e lento orgasmo por vez é como vamos fazer hoje. A noite toda.

Graças a Deus pelo menos ele teve bom senso de abrir o zíper do short dela e tirá-lo até cair no chão. Antes de se beijarem, ela já estava excitada, e cada beijo intensificava ainda mais sua necessidade. Agora que os olhos de Rafe perceberam e se demoraram na calcinha de seda, que combinava com o sutiã, que não era mais uma luz azul entre suas coxas.

— Deixei você toda molhada.

Foi o que ela disse na primeira noite em que se abraçaram, quando ela estava com o biquíni molhado. Mas agora as palavras significavam algo bem diferente. Algo deliciosamente obsceno, que só a deixava mais molhada, ainda mais quando ele colocou um dos braços ao redor da cintura dela para segurá-la firme enquanto esticava a outra mão para sentir a seda úmida.

Os olhos dele se fecharam devagar conforme ele movia os dedos sobre ela. Um músculo em sua têmpora saltou. Quando os olhos se fecharam outra vez, o olhar que ele lançou a ela era tão cheio de desejo que ele roubou o que lhe restava de respiração.

— Como é que eu vou conseguir sobreviver a isso? — Rafe perguntou. — Sobreviver a você?

— Eu posso ajudar você a se sentir melhor — Brooke sussurrou no pescoço dele, adorando a barba roçando em seus lábios. Ela queria esfregar cada centímetro do seu corpo contra o dele, e um dia ela prometeria dominar a situação para tê-lo da mesma forma como ele a dominava agora.

— Tão teimosa. — Rafe não parecia chateado, mas sim satisfeito com o que estava descobrindo sobre ela. — Tão impaciente.

Como que para provar que ele estava certo, Brooke esfregou a pélvis na mão dele. Só um pouco mais forte, só um pouco mais demorado, e ela iria....

Mas, assim que ela começou a se arquear para sentir a ereção de prazer dele, ele tirou sua mão. Ela abriu a boca para protestar, e ele a cobriu com seus lábios. As bocas estavam quentes e rígidas quando as línguas se enrolaram de novo. Brooke não estava nem perto de se fartar dele, pois cada beijo a tornava mais desesperada por outro e então por outro. Meia dúzia de beijos mais tarde, ela percebeu que seu sutiã estava aberto.

Ela o beijou mais uma vez, demonstrando um agradecimento caloroso por ter tirado mais um pouco da sua roupa, e então fez um movimento com o corpo e a seda caiu dos seus seios até o chão para se juntar ao short e à regata.

— Melhor? — ele perguntou, seis letras que faziam seu corpo derreter por dentro.

— Um pouco, mas...

— Você quer mais?

— Sim — *Sim.*

Com delicadeza, ele envolveu seus seios com as mãos enormes. — É isso o que você quer?

— Sim, e...

Os dois polegares acariciavam seus mamilos, e a respiração dela veio com a rígida onda de sensações extraordinárias que percorriam seu corpo.

— Bom?

Em algum lugar no fundo da mente, ela sabia que ele estava fazendo as perguntinhas sensuais da mesma forma que usava as mãos, provocando-a ainda mais, quase a fazendo perder o controle.

— É muito bom, mas...

— Não é o bastante, não é mesmo? — Os cantos da boca se curvaram quando ela balançou a cabeça em sinal de negação para que ele soubesse que ele não estava nem perto de descobrir. — Pobrezinha, você deve estar com tanta dor agora.

Nunca ninguém havia exercido aquele tipo de poder sobre ela, deixando-a com tanta necessidade que seus punhos estavam cerrados contra o peito dele enquanto ela tentava controlar o desejo de implorar. Era isso que ele queria, mas ela sabia o que fazer, sabia que ele iria se alimentar de seus apelos desesperados... E então era bem provável que ele a fizesse esperar ainda mais.

— Diga-me — ele insistiu, com um brilho mais forte nos olhos, agora que ele se regozijava com a tortura sensual. — Está com dor, Brooke?

Ela engoliu fundo e tentou encurralar células cerebrais suficientes para atingi-lo com um pergunta: — Você está?

— Como nunca senti antes — ele confirmou, depois abaixou a boca até a altura dos seios dela, juntando os dois com as mãos para que pudesse saboreá-los com sua língua. — Isso ajuda?

— Não — *Não.*

Ele era tão bonito quando sorria que ela quase o perdoava pelo que estava fazendo com ela, por fazê-la *precisar* tanto.

— E se eu fizesse isso, então? — Depois de muito tempo ele afinal deslizou os polegares para a lateral da calcinha dela. Mas, em vez de enfiá-los dentro da calcinha, ele usou o seu poder para trazê-la mais para perto e estraçalhar as células cerebrais que lhe sobravam com um beijo.

Apesar da frustração de precisar de paciência para esperar pelo prazer, não havia nada que ela pudesse fazer a não ser abrir os punhos e mover as mãos para o rosto dele e beijá-lo com a mesma paixão.

Como se fosse uma recompensa por bom comportamento, ele começou a tirar a última peça de seda enquanto eles se beijavam. Quando a calcinha estava abaixo do quadril, ele tirou as mãos da seda azul para sentir seu traseiro nu, sem interromper o beijo.

As pernas de Brooke automaticamente se abriram conforme ele a trouxe mais para perto. Foi puro instinto esfregar-se sobre o grosso volume por trás do zíper da calça jeans e, graças a Deus, dessa vez ele não a interrompeu. Ela nunca tinha feito nada tão selvagem antes, nunca tinha tentado enroscar-se em um amante com a calcinha ainda no meio das coxas. As mãos de Rafe no seu quadril insistiam para que ela se movesse cada vez mais alto, cada vez mais rápido contra ele, e a parte inferior da sua barriga agitava-se conforme ela ia chegando cada vez mais perto de um clímax explosivo.

No último segundo, Rafe recuou e disse: — Termine de tirar a calcinha e suba na cama.

Seu comando foi brusco e irregular como seu batimento cardíaco. Ela estava toda nua agora. Ele ainda estava vestido por inteiro. Ela jurou reverter o padrão um dia.

Mas, com o prazer tão próximo, ela apenas abaixou a calcinha e a tirou para mover as pernas bambas até a cama. Ele não disse que a queria, e ela por instinto esperou com uma das mãos na colcha colorida, olhando por cima do ombro com um silencioso questionamento.

— Brooke. A forma como você está me olhando...

Ele passou a mão pelos cabelos como se ela tivesse ido longe demais, apesar de não ter feito nada além de ficar nua na frente dele. Era óbvio que ele estava fazendo tudo o que podia para manter o que havia sobrado de autocontrole.

Bem-feito, ela pensou conforme a própria necessidade desesperada acelerava-se em seu organismo.

— Sei que você não queria ser vendado, mas talvez — ela sugeriu, com a voz mais firme que conseguiu — você devesse *me* vendar.

Os músculos saltavam tanto no maxilar quanto na têmpora quando ele resmungou. — Não vamos usar uma maldita venda. — Mas dava para ver que ele gostava muito da ideia, e que estava sendo difícil convencer a si mesmo que não queria usar. — De frente para mim. É assim que eu quero você. Com os olhos bem abertos, para que eu possa ver sua reação para cada coisa que eu fizer com você.

Um arrepio percorreu todo o corpo de Brooke após esse comando. Sim, era sexy, mas por debaixo do puro erotismo das suas palavras estava o calor que sempre existiu entre eles, bem antes de decidirem ir para a cama juntos. E, claro, ele jamais pediria que ela fizesse algo que ele não tivesse certeza de que ela também queria.

Ela teria se movido mais rápido se pudesse, mas parecia que Rafe exercia tanto poder sobre ela que até mesmo seus músculos obedeciam ao seu comando anterior sobre ser paciente. Os retalhos de veludo costurados na colcha pareciam sensuais ao roçarem sua pele nua, assim como as pontas do seu cabelo, que acariciavam suas costas e seios. Uma garça chamava seu amante do outro lado do lago, e, da mesma forma que o pássaro do sexo masculino respondia com um chamado mais profundo, Rafe foi para a cama com Brooke.

Seu olhar vagava do rosto dela aos seios e à pele úmida entre as pernas. E foi ali que ficou, levando as mãos também, movendo-se para as coxas dela para que ela ficasse toda aberta para ele.

Por fim, não havia mais provocação, não havia mais necessidade de ser paciente, ele abaixou a cabeça até ficar entre as pernas dela e deu-lhe o beijo mais obsceno que ela experimentou. Precisando de algo para se segurar quando pareceu que seu corpo ia se estilhaçar de dentro para fora, uma célula de cada vez, Brooke agarrou-se aos travesseiros, escorando-se enfim na cabeceira de ferro como se estivesse lutando pela vida.

O som do ferro rangendo fez Rafe olhar para cima. Ela não acreditava que seus olhos pudessem ficar mais negros, pudessem ficar mais cheios de desejo, se não tivesse visto por si mesma.

Quando ele a viu segurando-se à cabeceira, era como se um estalo tivesse acontecido dentro dele. E dentro dela também, conforme o calor perigoso em seu rosto parecia levá-la diretamente ao ápice a que ela quase havia chegado tantas vezes... E então tudo recomeçava.

Seus quadris moviam-se sozinhos, procurando êxtase. Ele abaixou a cabeça de novo, e sua língua e lábios juntaram-se aos dedos, trabalhando juntos para levá-la ao clímax. Quando ele afinal a deixou tonta de prazer, Brooke sabia que era a mulher mais sortuda do planeta enquanto Rafe ia beijando aos poucos toda a extensão do seu corpo.

E agora era a sua vez de fazê-lo sentir-se da mesma forma...

CAPÍTULO QUINZE

Rafe ficou surpreso ao perceber que a sensualidade de Brooke era tão fresca e inocentemente sedutora quanto o restante dela. Da mesma forma que ele pensou que poderia comer apenas um dos seus chocolates na noite anterior na fogueira e acabou devorando quase a caixa inteira, ele ainda tinha fome de mais. Rafe agora percebia que o clímax perfeito não estava nem perto de saciar a necessidade profunda dele por Brooke.

Ele *nunca* quis alguém dessa forma.

Cada momento com ela era uma revelação sensual. Quente. Sem esforço.

Perfeita.

Envolvendo-a em seus braços, ele a beijou na boca e disse: — Você tem um gosto bom em todos os lugares.

Ele sentiu o sorriso dela bem no centro do peito ao dizer: — Você também, pelo menos até onde me deixou senti-lo.

O brilho de fogo nos olhos dele dizia que ele não iria conseguir se controlar mais, então, quando ela pegou na barra da camiseta dele, ele a ajudou a tirá-la por cima da cabeça.

Os olhos dele estavam arregalados pelo claro desejo enquanto ela passava devagar as mãos pelos seus ombros. — Você é tão grande — ela disse, com voz surpresa, que ressoava diretamente em sua virilha, assim como tudo o que ela tinha dito e feito naquela noite até agora. — E tão rígido.

As mãos dela eram pequenas, mas ele sabia que ela as usava muito bem, e, conforme suas unhas arranhavam seus mamilos de leve, ele respirou fundo, demonstrando o prazer de estar com ela. Um prazer tão grande que ele quase esqueceu por uma fração de segundos de que...

— Rafe? — Os dedos dela pararam sobre suas costelas, perto de um coração que batia tão forte, tão rápido, pela bela mulher debaixo dele. — O que aconteceu com você?

Antes que ele pudesse responder, Brooke mudou de posição para conseguir ver a grande cicatriz. Nunca o toque de alguém foi tão gentil.

— Quem machucou você?

— Ninguém importante.

Mas ela não ia aceitar isso, e, quando perguntou de novo, "Quem?", ele sabia que tinha que dizer toda a verdade, uma verdade que quase ninguém mais sabia, incluindo seus pais.

— O ex-marido de uma das minhas clientes.

Ela ofegou, horrorizada, com os olhos arregalados e furiosos pelo que tinham feito com ele. — Ele foi atrás de você?

Sabendo que só ficaria pior se ele esperasse até depois de fazer amor com ela para contar, ele admitiu: — Depois que eu o peguei traindo a minha cliente e o divórcio aconteceu, eu a reencontrei. — Ele não estava orgulhoso do que tinha feito, e havia uma enorme chance de que, depois de saber, Brooke saísse da cama com a mesma rapidez com que entrou. — Acabamos indo para a cama. — O lampejo de choque nos olhos dela veio e logo foi embora; ele quase achou ter imaginado. — Só cometi essa estupidez uma vez. — Ele não pensou direito na noite em que quebrou uma de suas regras principais, *nunca se envolver com uma cliente*; só esperava que um rápido momento de prazer físico pudesse apagar o ardor no estômago em relação àquilo em que sua vida tinha se transformado. — Claro que na mesma hora ela jogou isso na cara do ex, que tinha dormido com o cara que o pegou no flagra.

Rafe prendeu a respiração como se estivesse esperando que Brooke reagisse à sua confissão. Ela foi um livro aberto para ele até agora, mas de repente não dava para saber o que estava pensando... Ou se ela estava tão enojada dele que estava prestes a expulsá-lo da cama.

— Que ousadia a deles! — Ele piscou de surpresa diante do comentário dela. — Pode até ter sido ele que usou a faca em você, mas ela praticamente entregou a faca para o ex-marido.

A respiração de Rafe voltou ao normal em uma onda de alívio... Sabendo que nunca fez nada para merecer a doçura de Brooke nem sua feroz proteção por ele.

— Foi minha culpa.

— *Não foi, não*!

Ele nunca ouviu Brooke levantar a voz antes, e de súbito se lembrou da forma como sua mãe de fala mansa podia se transformar em uma tigresa sempre que seus filhos a ameaçavam de alguma forma. Brooke seria tão boa quanto ela com os próprios filhos, crianças que ele poderia imaginar, com facilidade, brincando com ela na praia, pulando do ancoradouro de mãos dadas, colocando-os na cama à noite com uma história sobre príncipes e princesas.

Ele engoliu fundo ao perceber para onde seu cérebro tinha ido — e como foi fácil chegar lá.

— Você errou ao ficar com ela, mas os dois descontaram a fúria que sentiam um do outro em você — Brooke enlaçou os braços ao redor dele, quentes e fortes. — E isso jamais poderia ser sua culpa.

A ferida tinha doído muito na primeira semana antes de se transformar em um pulsar constante nos últimos meses. Mas agora, pela primeira vez desde que ele tinha dado entrada no pronto-socorro, sangrando por cima da camisa, ele mal conseguia senti-la. Pelo contrário, seus sentidos estavam todos capturados pela batida firme do coração dela em seu peito, o perfume do seu cabelo e o calor úmido da sua excitação na coxa dele.

Ela beijou o ombro e o peito dele até chegar à parte superior da cicatriz. Seus lábios pararam sobre ela. — Não quero que ninguém nunca mais o machuque — ela disse, beijando com delicadeza a extensão da pele e do músculo que havia recebido pontos.

Algo inchou bem ali, uma emoção que era maior do que aquela noite, maior até do que a forma como Brooke o curava a cada beijo.

Ela foi até o zíper da calça dele, e ele a deixou abaixá-lo, mas, quando a ereção ficou muito aparente ao leve toque dos dedos dela sobre o algodão, Rafe sabia que deveria tirar a cueca boxer também. Bastaria o menor toque dos dedos dela sobre ele e ele perderia todo o controle.

Alguns segundos depois de tirar a cueca, ele chutou para longe a última peça de roupa e os dois estavam enfim nus. Ele a beijou e se deleitou diante da maravilhosa sensação da pele nua dela deslizando contra a sua pela primeira vez.

Dele.

Ela era *dele.*

O pensamento ecoava repetidamente em sua mente quando Brooke disse: — Estou pronta.

Acariciando aos poucos suas belas curvas, movendo as mãos pelos seios, cintura, quadris e coxas dela, Rafe afinal usou os dedos para sentir como ela estava molhada. Brooke arqueou diante do toque, e ele mordeu sua orelha.

— Querida, você está mais do que pronta.

Ele a acariciou mais uma vez, movendo os dedos para dentro dela do jeito certinho para fazê-la prender os ombros dele com mais força conforme seus músculos internos pressionavam-se com força sobre ele. Sua boca era doce sobre a dele enquanto ele a beijava com a ferocidade que não se permitia usar no movimento da mão contra o corpo dela.

— Logo — Rafe prometeu, sabendo o que ela queria de verdade... Movendo seu corpo na direção do dela, rigidez contra a suavidade. — Mas só depois que você gozar de novo para mim, pelo menos mais uma vez.

Ele acompanhou o ritmo da sua língua contra a dela, enfiando os dedos em seu corpo incrivelmente acolhedor. Ele sempre amou as mulheres e o sexo, mas nada do que ele jamais experimentou antes se comparava àquele momento com Brooke. Nenhuma mulher com quem ele esteve antes demonstrou uma sensualidade tão pura, tão disposta a se entregar ao seu toque, à pressão de seus lábios, ao carinho de seus dedos pela sua pele sensível, tanto dentro quanto fora.

Ela ainda tremia, ainda pulsando em sua mão, quando disse: — Isso é tão bom, Rafe. — Ele segurou seu rosto com ambas as mãos e trouxe sua boca para perto da dela, beijando-a com seu jeito doce e sedutor.

Ele poderia ter observado, ouvido e sentido Brooke gozar a noite toda. Mas os dois tinham sido mais do que pacientes nos últimos dois dias. Afastando-se só o bastante para pegar a camisinha no bolso do jeans, Rafe estava prestes a abrir um dos pacotes quando Brooke disse: — Agora que você me disse o que fez — ela comentou com aquele brilho sexy nos olhos. — Não vejo a hora de fazer sexo pervertido com você.

Esquecendo-se por completo da camisinha em sua mão, Rafe quase explodiu bem ali. Ela não fazia ideia de como ele estava perto de pegar seus quadris com as mãos e entrar nela para perder-se em sua suavidade, em sua beleza, no olhar em seus olhos, que lhe diziam que ele poderia fazer qualquer coisa que quisesse com ela.

Não. Droga, ele precisava manter o controle. De alguma forma, de alguma maneira, ele precisava se lembrar de que Brooke era diferente. Especial.

E muito mais preciosa do que qualquer mulher com quem ele tivesse ficado.

— Eu já falei — ele conseguiu dizer entre os dentes. — Não vou fazer esse tipo de coisa com você.

Ela fez beicinho, e ele mordiscou seu lábio inferior, mesmo quando disse: — Mas eu quero — Deus do céu, ela precisava parar de dizer essas coisas, mas então ela acrescentou: — Você disse ontem à noite que ia me fazer implorar.

— Não, Brooke — ele implorou —, não me peça.

Tudo ficou paralisado no momento em que ela olhou para ele com os olhos cheios de desejo, mas também claros... e decididos.

— Seja selvagem comigo. — Ela acariciou seu peito com as mãos, arranhando-o de leve com as unhas. — *Por favor*.

Rafe nunca se definiu como gentil na cama, mas queria ser gentil com Brooke. Terno também, pois ela era muito especial.

Claro que a ironia era que, quando ele estava tentando ser gentil e terno, ela pedia que ele fosse selvagem. Queria que ele fosse pervertido.

Ainda determinado a fazer o que fosse preciso para resistir aos apelos, embora ele quisesse ser selvagem com ela tanto quanto ela queria, quando ela pegou em seu pênis, a única maneira de ele conseguir impedir que o jogo terminasse bem ali foi agarrando os pulsos dela, afastando-os o máximo possível da sua ereção.

Foi nesse exato momento, em que ele segurou seus braços com força sobre a cabeça — um gemido gutural saiu dos lábios de Brooke, como se ele já estivesse dentro dela —, que Rafe percebeu o poder que Brooke exercia sobre ele.

Ele prometeu não se deixar enlouquecer, jurou que não se esqueceria de ser gentil. Ele jamais se perdoaria por ter roubado a inocência tão aparente de Brooke, por macular qualquer parte da sua doçura.

Mas a forma como ela estava implorando era mais do que suficiente para deixá-lo louco... E para que ele perdesse o que sobrava da sua paciência.

Precisando dela *agora*, Rafe usou os joelhos e coxas para abrir bem as suas pernas. Ela estremecia debaixo dele, seus olhos estavam embaçados de desejo, a linda boca estava inchada com seus beijos, a pele enrubescida de excitação, os seios tão fartos, e macios e doces que ele teve que aproximar a boca de um dos mamilos outra vez.

Ele se afastou de seu seio, mordiscando a carne sensível, que a fez implorar de novo. As palavras não deveriam ter feito sentido algum — *Necessidade. Por favor. Penetre. Quero* —, mas ele não teve problema algum em decifrá-las, já que eram as mesmas que não paravam de se repetir em sua cabeça.

Ele planejou possuí-la devagar. Avisou a si mesmo para ser gentil com ela. Mas, conforme o calor, o perfume, o gosto adocicado de sua boca o levaram ao limite do autocontrole, com os pulsos ainda firmemente presos sobre a cabeça com uma das suas mãos, Rafe usou a outra para colocar a camisinha. Entrou nela com um movimento brusco, tão profundo que ela ofegou em voz alta.

Ah, eu a machuquei.

Ele tentou ficar parado dentro dela, mas, antes que pudesse pensar em fazer algo do tipo, ou em se desculpar por ter sido tão brusco, ela já estava se movendo debaixo dele, com as curvas macias e os músculos esforçando-se para que ele penetrasse de forma ainda mais profunda. Ela arqueou o pescoço para trás, as pálpebras tremiam, os dedos fortes se abriam e se apertavam onde ele segurava seus pulsos. Um brilho de suor escorria por sua pele, e ele poderia jurar que ela estava em brasa.

Assim que seus músculos internos começaram a pulsar ao redor dele, seus lábios se curvaram em um sorriso. Um sorriso tão abençoado, tão puro e tão de coração que ele mal conseguia acreditar que tinha tanta sorte de ver... E de ser o homem que a havia feito tão feliz.

Observando-a entregar-se tão inteira ao prazer e à alegria perfeita debaixo dele, Rafe não conseguiu fazer mais nada além de entregar-se ao prazer inacreditável também.

Deixando o autocontrole de lado, ele impulsionou o corpo contra o dela ainda com mais força. O suor pingava do seu corpo para o dela, uma gota corria entre os seios dela conforme a pele úmida se esfregava contra a dele.

— Agora, Brooke. — Ela abriu os olhos, tão dilatados de excitação que as pupilas quase pareciam saltar. — *Agora.*

Como se apenas estivesse esperando por seu comando, antes que os dois pudessem tomar fôlego de novo, ela explodia debaixo dele, ao redor dele, não controlando absolutamente nada conforme seu clímax fazia os dois balançarem.

CAPÍTULO DEZESSEIS

— Isso *foi* melhor que chocolate!

Rafe levantou a cabeça, que estava aninhada no pescoço dela, e indagou: — Melhor quanto?

Oh-oh, ela não tinha percebido que disse as palavras em voz alta.
Mas como ela podia ficar constrangida com ele depois de terem estado tão próximos? Eles ainda estavam bem próximos, na verdade, Rafe com o corpo enorme maravilhosamente pressionado contra o dela no colchão.

— *Muito* melhor — ela respondeu. — Ainda mais a última parte.

Ele pareceu surpreso quando viu que ainda estava segurando os braços dela sobre a cabeça, quase como se não tivesse percebido que já tinha acabado. O ar fresco sobre os pulsos dela ao se apressar em soltá-la fez com que ele indagasse — Eu machuquei você?

Brooke franziu a testa diante da pergunta. — Claro que não. — Mas, quando ela olhou para seus pulsos, dava para ver as marcas dos dedos dele em sua pele.

— Droga, machuquei, sim.

Ela balançou a cabeça, negando. — Não, é que eu sou muito branca. Minha pele sempre fica um pouco marcada se pressionada contra alguma coisa, mas a marca sai logo.

Quando ele se levantou para jogar a camisinha fora, ela sabia que ele ia se culpar por algo que não tinha feito, mas Brooke não iria deixá-lo fazer isso consigo mesmo. E nem com ela.

Ela se aproximou dele: — Volte para a cama, Rafe.

Em pé, observando a luz da lua brilhar pela janela do quarto dela, ela o observou lutar consigo mesmo por alguns segundos, e viu aquele músculo saltando em seu maxilar outra vez. Por fim, ele se voltou para a direção dela e pegou em sua mão.

Ela o atraiu de volta para a cama e fez com que ele se deitasse para que ela pudesse se aninhar em seu ombro. — Amei cada coisa que fizemos juntos. Quando você estava segurando meus pulsos daquela forma — ela suspirou —, senti-me livre como nunca me senti. — Ela ergueu o olhar para encontrar o dele ao acrescentar. — E não vejo a hora de fazer até mais da próxima vez.

Ela observou um novo lampejo de calor saltar nos olhos dele antes de fechá-los. — Prender seus pulsos com as minhas mãos foi o mais perto de sexo pervertido que vamos chegar, Brooke.

Ela poderia ter discutido com ele, poderia ter dito que não ia tentar vencer essa. Mas, em vez disso, ela apenas sorriu e respondeu: — Até que enfim você disse a palavra *pervertido.*

O sorriso ainda estava em seus lábios quando ela passou os dedos de leve sobre a cicatriz no escuro, e então recostou a palma da mão sobre as batidas do coração dele e fechou os olhos.

Rafe não conseguia acreditar que tinha dormido na cama de Brooke. A luz da manhã tomava conta do corpo dele, e ele se esforçava para fazer sua mente preguiçosa funcionar. Quando Brooke o abraçou e ficou aninhada a ele, seu corpo inteiro ansiou por sua maciez, seu calor... E a sensação de que ela curava suas feridas com um beijo de cada vez.

Mesmo assim, ele ficou surpreso não só pelo fato de o sexo com Brooke ter sido quente de enlouquecer, mas por ver que ela continuava sendo a mesma de sempre depois do que haviam feito. Cheia de sorrisos e da doçura que sempre foram sua marca, e sem tentar fazer com que ele falasse dos seus sentimentos.

Dava para ouvir o chuveiro ligado, e ele sabia que devia deixá-la terminar o banho sozinha, em especial depois do jeito como a tinha possuído na noite anterior, de forma brusca o suficiente para deixá-la dolorida. Mas Rafe estava aprendendo bem rápido que não tinha controle algum quando se tratava de Brooke. Isso ficava mais evidente quando pensar nela nua e ensaboada no chuveiro o deixava mais excitado do que nunca, como se ele não tivesse se perdido dentro dela havia apenas oito horas.

A porta do banheiro não estava trancada, mas ele não pensaria duas vezes se tivesse que arrombar a fechadura para chegar a ela. O ambiente estava cheio de vapor, o box embaçado, e tudo o que Rafe conseguia ver era a bela silhueta e das curvas e dos longos cabelos molhados.

— Rafe?

Ele respondeu abrindo a porta do chuveiro e entrando debaixo da água com ela, jogando no banquinho ao lado a proteção que havia trazido consigo.

Seu sorriso de felicidade foi imediato, assim como suas mãos ao redor dos ombros dele quando ela se aproximou para um beijo de bom-dia. Cada vez que eles se beijavam, ele ficava chocado em perceber que a queria mais.

A noite anterior deveria ter ajudado a baixar a ansiedade. Em vez disso, aconteceu o oposto.

— Não queria acordá-lo. Você estava dormindo tão em paz — ela disse contra seus lábios —, mas estou feliz por ter acordado.

— Você pode me acordar a qualquer momento para isso.

Trinta segundos seria o tempo necessário para ele pressioná-la contra os azulejos da parede, com as pernas dela enroscadas em sua cintura. Mas isso teria significado perder a chance de passar o sabonete por toda a extensão do corpo dela.

Os olhos de Brooke se arregalaram e sua respiração acelerou conforme ele se movia ao redor do corpo dela até conseguir ficar por trás. A água tinha grudado seus cabelos longos ao pescoço e às costas, e Rafe gostou muito de erguer as mechas ensopadas por cima do ombro. Debaixo do jato do chuveiro, as pontas do cabelo louro ficaram ainda mais escuras perto dos mamilos corados.

Excitado pela doce curva do seu pescoço, ele abaixou a boca até a altura da sua pele delicada. Ela estremeceu quando ele pressionou os lábios contra os dela, e depois a língua.

Ela se segurou nele como se precisasse de um apoio e acabou diretamente pressionada contra os frios azulejos azuis. — Fique assim — ele a encorajou, adorando a forma como sua respiração ficava instável com suas palavras.

Bem devagar, ele começou a passar o sabonete pelos ombros dela, pela parte superior de suas costas, e depois pelo perfeito entalhe da sua cintura, bem acima do doce tremor dos seus belos quadris. O corpo dela era inacreditável, macio onde uma mulher tinha que ser macia, cheio onde uma mulher tinha que ser cheia, e forte de um jeito que ele não tinha visto mulher alguma ser forte.

Sem falar na sensualidade inata, poderosa o bastante para quase fazer um homem ceder, um homem que nunca tinha nem chegado perto de ceder por uma mulher antes.

A pele dela era suave e perfeita debaixo dos dedos dele, e ele estava hipnotizado pela forma como as bolhas deslizavam por suas curvas. Deixando o sabonete de lado por um tempo, ele juntou as mãos para pegar água e jogar em cima dela.

Quando o gemido suave reverberou pela parede de azulejos e pelo chão, ele repetiu, só que dessa vez ele espirrou água na frente dos ombros dela, para que gotejasse quente e com sorte entre os seus seios. Ela começou a se afastar da parede com a clara intenção de se enlaçar ao corpo dele, mas ele posicionou suas mãos sobre as dela nos azulejos para pará-la.

— Ainda não, querida. Não cheguei nem perto de deixá-la limpa.

Adorando o doce som da sua frustração tanto quanto seu gemido de prazer, Rafe pegou o sabonete mais uma vez e se moveu para pressionar sua ereção contra os quadris dela, deixando o peito contra as costas dela. Claro que ela sabia bem como conseguir sua vingança por ele fazê--la ser paciente. Ela balançou o bumbum arredondado sobre ele, fazendo-o pulsar tão forte contra ela que ele quase perdeu o controle.

— Tem certeza de que quer brincar comigo assim? — As palavras pronunciadas em voz baixa, mas de forma muito sensual, eram um aviso de que ela deveria tomar cuidado com a rapidez com que estava provocando um homem como ele.

— *Sim.*

Foi o que ela disse para ele na noite anterior, quando ele a provocava, e, quando ela remexeu o corpo contra o dele de novo, Rafe abaixou o rosto até chegar ao nível dos seus cabelos molhados e sentiu seu perfume fresco e limpo para se sentir preenchido por ela.

Um pouco mais tarde, ele deslizava as duas mãos para fazer círculos de sabão ao redor de seu umbigo. Mas como ele conseguiria continuar provocando-a assim quando a tortura por não tocar o restante do corpo dela era imensa?

Entregar-se ao prazer era tão mais fácil. E ficou melhor quando Rafe começou a ensaboar os seios dela também.

— Por favor — ela implorou, apesar de já ter deixado o sabonete de lado para que pudesse pinçar seus mamilos intumescidos com o polegar e o indicador.

— Shhh — ele a confortou ao aproximar-se de sua orelha para mordiscá-la.

Um calafrio forte percorreu o corpo de Brooke quando ele deslizou uma das mãos até a barriga dela, descendo ainda mais, até que os pelos úmidos entre as pernas dela faziam cócegas em seus dedos. Eles se mexiam juntos em perfeita sintonia, as pernas se abriam mais assim que a mão dele encontrou a carne escorregadia e tão enlouquecedoramente quente que Rafe não conseguiu se controlar nem mais um segundo.

Ele a girou com pressa e a pressionou contra os azulejos com o peso de seu corpo ao pegar a camisinha, separando-se de suas curvas deliciosas para enfiar o látex em si mesmo. E então ele a ergueu tão alto que ela enlaçava as mãos e os pés ao redor dele, e ele impulsionava seu corpo com batidas fortes que roubavam o ar de seus pulmões.

Ela era pequena, mas forte, quando ele a trouxe mais para perto. Toda vez que estavam juntos, ele jurava que da próxima vez seria mais cuidadoso. Mas a necessidade o fazia girar sem controle, e, além de proteger as curvas macias e sua nuca com as mãos contra o azulejo, ele não conseguia fazer nada para impedir que se movimentasse com força nem de beijá-la com força suficiente para machucar seus lábios.

Mesmo assim, ele se surpreendeu não apenas por tirar tudo o que deu a ela, mas também por encorajá-lo a ir além. Em vez de gritar pela maneira bruta como ele a possuía sem nenhuma sutileza nem gentileza, o sorriso suave ricocheteava pelo chuveiro. Até com os músculos internos dela presos ao redor dele e ela usando a coxa forte e os músculos do braço para ganhar espaço sobre ele, a mulher lindamente selvagem em seus braços não estava apenas sorrindo... Ela estava rindo alto com clara alegria, na verdade.

Toda vez que ela ria, Rafe sentia algo no centro do peito. Nunca mais do que agora o que deveria ter sido uma transa rápida e furiosa tinha se transformado em algo tão diferente. Algo que tinha aliviado a pressão no peito até mais do que o amor que fizeram na noite anterior.

Antes de Brooke, o sexo só significava alguns momentos de prazer momentâneo.

Com Brooke, ele afinal percebeu quanta alegria poderia acompanhar esse momento também.

— Amo o som da sua risada — ele disse e também sorriu ao cobrir a boca de Brooke com a dele. Ele ficou surpreso que até mesmo uma risada se transformava em gemidos e respiração ofegante. A alegria com que ela o contagiava não ia embora, nem por um segundo.

Quando o corpo dela explodiu no clímax, Rafe nem tentou controlar seu orgasmo. Por que ele tentaria controlar quando nada jamais parecia melhor do que perder o controle com ela?

Eles ficaram abraçados por vários minutos depois que recuperaram o fôlego, e, quando ele enfim a colocou no chão, ela estava sorrindo para ele.

— Foi *maravilhoso*! — Ela mostrou a mesma expressão de quando andou de moto com ele, toda eufórica e emocionada pela descoberta de como era bom passear em alta velocidade.

Rafe concordou por completo — fazer amor no chuveiro foi facilmente o momento mais impressionante da sua vida —, mas, ao mesmo tempo, não conseguia afastar mais um coro de autocondenação sobre sempre perder o controle com ela.

— O que você está fazendo comigo?

Ela acariciou o rosto dele com uma das mãos. A barba molhada roçava debaixo dos dedos dela. — Bem, agora, vou fazer sua barba. — Ela foi na ponta dos pés para aproximar a boca da dele. — Podemos descobrir o restante mais tarde.

Ele não sabia como ela fez aquilo — como ela pegou algo que podia ser tão complicado e o deixou tão simples. Fácil.

Certo.

Ela o fez se sentar no assento azulejado dentro do chuveiro e encheu a palma da mão de creme de barbear. Bastou o toque macio dos seus dedos sobre o pescoço e o maxilar dele para que Rafe ficasse mais uma vez excitado. Droga, ele não podia deixar-se dominar de novo.

Interpretando a careta dele como preocupação, ela disse: — Prometo ser gentil. — Então Brooke pegou a navalha e sentou-se no colo dele de forma que seu belo peitoral estava bem ao alcance da língua dele. Será que ela sabia quanto o estava torturando quando inclinou a cabeça para trás para passar a navalha no pescoço dele?

Ele tinha feito várias coisas selvagens na vida, mas nunca pensou que uma das mais selvagens seria ter a garota mais linda do mundo sentada em seu colo no chuveiro enquanto o barbeava, com os lábios entre os dentes, na maior concentração.

A única coisa que o impedia de agarrá-la e pressioná-la contra a parede mesmo com ela em seu colo — e com a ereção que se manifestava sempre que ela se aproximava — era saber que ela ia se sentir mal caso escorregasse e o cortasse. Ele estava mais do que disposto a derramar um pouco de sangue para tê-la outra vez, mas se forçou a deixar as mãos apoiadas nas laterais das coxas dela conforme ela movia a navalha de modo habilidoso pelo rosto dele.

Quando ela terminou, rapidamente o limpou com a água da ducha. Aproximou-se e esfregou a bochecha na dele. — Mmm, tão macio.

Como não precisava mais se importar com a navalha, ele se levantou, desligou a água e a levou do banheiro ao quarto, os dois pingando ao chegarem à cama e caírem juntos em cima dela. Ele nunca confiou em nenhuma mulher para fazer algo tão íntimo quanto barbeá-lo, mas com Brooke tudo parecia ser como deveria ser. Assim como aconteceu quando ele os rolou na cama para que ela ficasse por cima dele e ele pudesse aninhar seu rosto recém-barbeado nos seios dela.

— Mmm — ele murmurou sobre a pele de aroma adocicado. — Tão macio.

Ela riu por ele ter usado as mesmas palavras que ela quando pegou outra camisinha ao lado da cama e a puxou mais para perto. Dava para sentir a alegria dela pela pulsação dos músculos internos contra o corpo dele a cada explosão de riso que vinha de seus pulmões. Ele não era mais adolescente, e, depois de transar com ela duas vezes em menos de doze horas, dessa vez era para ele conseguir se controlar.

Mas a forma como Brooke estava sobre ele — mais do que linda com a cabeça jogada para trás, com a água dos cabelos molhados escorrendo pelas costas, perdida em êxtase com as mãos presas nos antebraços dele — acabava com qualquer tipo de controle que ele poderia ter. Dava para sentir toda vez que ela respirava, toda vez que ela ofegava de prazer quando ele impulsionava o corpo contra o dela, atingindo com precisão os lugares certos.

Ele queria vê-la gozar, mas precisava prová-la ainda mais. Elevando o corpo, ele deslizou as mãos pelos cabelos molhados e a beijou. Rafe nunca havia vivido essa necessidade tão feroz, que o consumia tanto. Tudo o que existia era Brooke, a maciez escorregadia da língua dela, o aperto das suas mãos nos ombros dele quando ela chegava ao clímax com tanta força que tudo o que pôde fazer foi pressionar a bochecha contra o corpo dele e segurar firme.

Rafe forçou-se a soltar seus braços de Brooke para que ela pudesse trocar de roupa. Em vez de colocar o jeans, ela pegou um vestido bonito do armário, junto com uma lingerie ainda mais bonita.

Diante da pergunta não feita por ele, ela lhe contou. — Falei com Cord antes de tomar banho. Ele precisa que eu vá até a cidade dar uma olhada na loja e assinar alguns papéis.

Rafe sentiu um nó no estômago só por ter ouvido o nome de outro homem sair da boca de Brooke. Ele também não gostava muito da ideia de tê-la longe por tantas horas. Todos esses anos ele sempre ficou alerta quando as mulheres eram muito grudentas, quando queriam ficar junto durante todo o tempo livre, mas era exatamente assim que se sentia em relação à Brooke.

— Tenho certeza de que Mia adoraria receber você na casa dela durante o tempo em que ficar na cidade. Ou — ele disse em vez de implorar que ficasse, que era o que ele queria — você podia ficar na minha casa.

Ela sorriu diante da oferta, mas balançou a cabeça em sinal de negação. — Não estou planejando passar a noite em Seattle.

Apesar de estar calado se regozijando pela ideia de ter Brooke de volta aos seus braços no cair da noite, ele disse: — Não quero que você fique tão cansada depois das suas reuniões que tenha problemas de voltar dirigindo para o lago.

Ela ergueu o queixo, mas lançou a ele um de seus doces sorrisos. — Vou ficar bem, Rafe. — O olhar dela se aqueceu ao acrescentar: — E não quero passar a noite na cidade; prefiro ficar aqui na cama com você hoje à noite.

— E se eu for com você? — Ele gostaria de se encontrar com esse tal de Cord, e ver como sua intuição reagiria em relação ao homem que conseguiu fazer Brooke assinar um contrato de sociedade com tanta facilidade.

— Não — ela disse, balançando a cabeça. — Você está indo muito bem com os reparos na casa. E está de férias.

Ela tinha razão, mas ela significava muito mais para ele do que uma casa. Ele estava prestes a insistir quando ela o interrompeu: — Sinceramente, vou estar muito bem sozinha.

Sabendo que era sua forma gentil de pedir a ele para recuar, e tentando respeitar o desejo dela apesar das suas preocupações, Rafe pegou o jeans do dia anterior e foi para a cozinha preparar o café da manhã antes que ela pegasse a estrada. Tinham gastado energia mais do que suficiente desde a noite anterior. Mas, em vez de se sentar com ele, Brooke disse que já estava atrasada, agradeceu pelo pãozinho torrado e com manteiga, jogou várias caixas de trufas em uma enorme sacola e lhe deu um beijo antes de sair voando, estonteante, com o vestido e o salto alto.

Rafe ficou no meio da cozinha, sentindo como se tivesse sido atingido por um furacão.

Ele fez muito sexo bom nos últimos quinze anos, mas nada, em nenhum lugar, chegou perto de ser tão quente quanto o que ele e Brooke compartilharam. Com certeza ele era apenas um cara perdido, como a irmã pontuou pelo menos cem vezes no decorrer dos anos, mas não deixou passar o fato de que mesmo em meio ao calor entre ele e Brooke havia algo mais.

Só que, em vez de pender para um compromisso ou querer definir se eles tinham oficializado a ida para o patamar namorado/namorada, ela entrou no carro e foi para a cidade sozinha.

Que droga, ele pensou quando passou as mãos pelo cabelo. Quase implorou para ir junto. Mas ela deixou bem claro que não o queria com ela.

Ele ficou confabulando. Será que era por que ela não queria que ele conhecesse seu sócio? Rafe tinha desenvolvido um ódio irracional pelo nome do cara. Que tipo de homem de negócios legítimo se chamava Cord? Depois de pegar o telefone e fazer uma pesquisa sobre o cara, Rafe também não gostava muito da aparência dele. Por que ela tinha que ter um sócio tão bonito?

Rafe pensou em Brooke se envolvendo com o cara, mas não conseguia imaginar muito bem, por uma boa razão. Ela jamais, nem em um milhão de anos, deixaria a sua cama para ir para a de outra pessoa. Rafe era um idiota cético, mas não era cego. Brooke o surpreendeu cada vez mais nos últimos dias, mas ela não era, e jamais seria, traidora.

Ao mesmo tempo em que não estava preocupado com Brooke se envolver com o sócio pelas costas dele, ele ainda estava preocupado. Mais pelo que se referia ao dinheiro que ela continuava entregando para ele. Ela era esperta demais para entrar ingenuamente em uma sociedade comercial com um estranho, mas, apesar de supor que ela tivesse feito uma pesquisa sobre o cara, a verdade era que Rafe e seus empregados poderiam encontrar coisas sobre Cord que Brooke jamais conseguiria. Ainda mais se o novo sócio estivesse tentando esconder algo.

Uma coisa era Brooke arriscar seu dinheiro no próprio talento — que sem dúvida ela tinha. Outra bem diferente era arriscá-lo em outra pessoa.

Bravo consigo mesmo por não ter dado esse telefonema antes — ele estava tão envolvido com Brooke, e, quando fracassou em saciar sua necessidade, ficou mais determinado a possuí-la de todas as formas possíveis —, a voz de Rafe foi rude quando Ben atendeu o telefone no escritório.

— Oi, chefe, espero que esteja ligando para mim de um barco de pesca para contar vantagem sobre a última pescaria.

Em outras ocasiões ele teria jogado conversa fora com o funcionário, que era também um amigo de longa data. Mas hoje Brooke era tudo o que importava. — Preciso que investigue um cara chamado Cord Delacorte.

Ben de imediato mudou para o tom de trabalho. — Procurando algo em particular?

— Quero saber tudo sobre o cara.

Ben sabia precisamente o que *tudo* significava no ramo deles: aonde Cord ia e com quem, tudo o que comprava, pessoas para quem telefonava e de onde vinha seu dinheiro, além de rastrear suas atividades até onde conseguisse.

— Vou fazer disso minha prioridade. Ligo para você ou mando e-mail no mesmo instante se algo parecer suspeito.

Com Brooke em Seattle, Rafe não tinha nada para se distrair além de passar o restante do dia colocando o piso novo, junto com os armários da cozinha que a loja de ferramentas entregaria naquele dia. Mas, em vez de ficar feliz por ter tantas horas ininterruptas para arrumar a casa do lago, ele já estava contando os minutos e as horas.

Não por causa do sexo, mas só pela chance de ver o rosto sorridente de Brooke… E de tê-la em seus braços.

CAPÍTULO DEZESSETE

Brooke estava na abafada rua principal de Kirkland ao entardecer e acenou para se despedir de Cord e sua esposa. Como Rafe previu, ela estava exausta. As horas que tinha passado dirigindo até Seattle, combinadas às assinaturas de papéis com o advogado e o corretor da loja, a deixaram bem cansada. Mas isso tudo depois de fazer amor com Rafe durante metade da noite e depois duas vezes pela manhã a deixou com os membros meio elásticos e com a cabeça que vagava até ele o tempo todo. Além de tudo isso, depois de uma rápida parada para uma bebida com Cord e a esposa, sobre quem ficou sabendo mais sobre os problemas de fertilidade, ela desejou de coração poder ajudá-los de alguma forma. Era óbvio que estavam profundamente apaixonados e estavam desesperados por um filho, mas todo o amor e a vontade do mundo ainda não haviam feito diferença.

O amor, ela pensou, podia fazer a magia acontecer. Mas será que podia mesmo?

Mesmo assim, seus pensamentos voltavam para Rafe, da mesma forma que acontecia quase o tempo todo no decorrer do dia. Ela o quis desde o primeiro momento em que o viu descer da motocicleta e olhar para ela com seus intensos olhos negros. Precisava dele, de mulher para homem. Pela forma como ele a tocava, a beijava, fazia amor com ela, ela sabia que ele queria e precisava dela do mesmo jeito. Mas era tudo o que ele contou sobre seu trabalho e a cicatriz que exibia em suas costelas que a fazia acreditar que ele precisava dela por algo mais do que apenas a satisfação do desejo. Por mais até do que amizade.

Por amor?

Um jovem andando de skate a fez pular do caminho com a mão sobre o coração acelerado. Claro que já estava acelerado pela ideia de se apaixonar por Rafe...

Lembrando a si mesma que nada era certo sobre seu relacionamento ir adiante, que eles não fizeram nenhuma promessa um para o outro de propósito além de se certificar de que não ferissem sua amizade, Brooke voltou a concentrar sua atenção no presente. Ela tinha mais um lugar importante para ir e tinha olhado o endereço em seu telefone durante o dia. Na verdade, ela esperava levar um presente para Rafe.

Brooke ficou impressionada com a vitrine da loja *Indulgência*. Quando ela e Mia estavam pintando a sala de estar de Rafe, Mia lhe contou sobre uma incrível loja nova no final da rua em que a loja de Brooke abriria. *Indulgência* era de uma das melhores amigas de Mia, uma mulher chamada Colbie, que acreditava que toda mulher deveria não apenas satisfazer a si mesma, mas também ao homem em sua vida. E, quando Mia mencionou que a loja tinha coisas em sua sala exclusiva para clientes especiais que eram tão travessas que até mesmo *ela* ainda não tinha comprado, Brooke fez uma anotação mental para visitar a loja na próxima vez em que fosse a Seattle.

O centro de Kirkland, com a abundância das lojas de brinquedos e de utilidades domésticas e cafeterias, não era o tipo de lugar a que uma garota iria para encontrar uma lingerie supersensual, ou era assim que Brooke tinha pensado. Ela entrou, e uma mulher linda logo a cumprimentou com um sorriso acolhedor.

— Olá, como vai?

Brooke sentiu-se de imediato à vontade com a mulher atrás da registradora. — Estou ótima, obrigada. Você é a Colbie?

— Sou. E você é uma das amigas da Mia, não é? — Quando Brooke concordou, Colbie riu. — Nem sei por que pago propaganda quando ela é melhor em espalhar a notícia do que qualquer jornal ou revista.

— Mia elogiou muito a sua loja. — Ela olhou ao redor para a mercadoria de bom gosto exposta. — Vejo que ela estava certa. Sou Brooke.

O sorriso de Colbie ficou ainda maior. — Você é a amiga de infância do lago! Você não imagina como ela está feliz por tê-la reencontrado depois de todos esses anos.

— Também estou feliz. — Brooke de repente percebeu que ir até lá e dizer quem ela era podia fazer com que Colbie soubesse muito bem para qual homem ela estava fazendo compras.

— Posso ajudar você a encontrar alguma coisa específica, ou você prefere que eu a deixe sozinha para procurar em paz?

— Na verdade... — Brooke sentiu o rosto enrubescer e cobriu as bochechas com as mãos para tentar esconder.

— Você quer ver o que tenho na sala exclusiva — Colbie adivinhou.

— Quero.

A dona da loja sorriu para ela. — Eu sabia que ia gostar de você na hora em que você entrou. Siga-me.

Quando elas passaram por uma cortina transparente, Brooke sentiu o rosto se aquecer, mas ela estava ali, não estava? Precisava ser corajosa o suficiente para continuar com a compra. Ela tinha visto fotos de algumas das mercadorias nas caixas de veludo em exposição, mas, apesar de os produtos sensuais que Colbie vendia serem bem elegantes, Brooke não conseguia se imaginar usando nenhum deles. Ela queria que Rafe entendesse que seus limites iam além de onde era óbvio ele pensar, mas ela também precisava manter-se verdadeira para si mesma.

Além disso, ele não precisou de nada além das mãos em seus pulsos na noite passada...

— Me fale se tiver alguma pergunta — Colbie sugeriu.

Os olhos de Brooke viram uma possibilidade. — Me dê mais detalhes sobre aquelas ali.

Colbie sorriu ao pegar as sedas coloridas entre os dedos. — Meu noivo adora. Tantas possibilidades... — A voz de um homem a chamou do outro lado da cortina, e ela se iluminou de alegria ao ouvi-la. — Noah chegou um pouco mais cedo para me buscar para jantar, mas vou pedir a ele para relaxar um pouco.

Mas Brooke já tinha se decidido. — Vou levar as sedas. — Ela apontou para a lingerie no manequim. — Aquele conjunto também, se você tiver do meu tamanho.

Brooke foi para a sala principal e encontrou o noivo pecaminosamente belo de Colbie, Noah Bryant. A forma como ele olhava para Colbie, como se ela fosse mais brilhante que o sol, a lua, e as estrelas juntas, fez com que Brooke mal pudesse conter o suspiro ao ver a doçura entre os dois.

Será que havia alguma chance de que Rafe algum dia olhasse para ela daquele jeito?

Ou talvez, apenas talvez, se ela acreditasse em Mia, houvesse uma chance de que ele já tivesse feito isso.

Rafe tinha acabado de colocar a última placa de piso quando o telefone tocou. Ele esperava que fosse Brooke avisando que estava chegando em casa.

Mas não era. Foi o nome da prima Sophie que iluminou a tela.

Sempre feliz em receber notícias de um de seus muitos primos, ele atendeu. — Oi, Soph, como você, Jake e as crianças vão indo? — Dava para ouvir a risada de um bebê ao fundo, e então o marido Jake explodindo em uma risada um pouco depois.

— Maravilhosos — ela respondeu. — E barulhentos. Muito barulhentos mesmo, caso não tenha percebido.

O apelido de Sophie era *Boazinha*. Além disso, como era bibliotecária, ela estava acostumada a trabalhar em silêncio o dia todo. Ele imaginou que se casar com o proprietário de uma cadeia de pubs irlandeses, e ter gêmeos depois, deve ter levado um tempo para ela se acostumar. Contudo, era óbvio que ela estava feliz com as enormes mudanças em sua vida, em especial pelo fato de Sophie e Jake se amarem desde crianças.

Não era, ele de repente percebeu, muito diferente da sua situação com Brooke. Sophie e Jake se conheciam desde que tinham cinco ou seis anos; Rafe conhecia Brooke até por mais tempo que isso. E então um dia Sophie e Jake passaram de amigos para mais, muito mais, assim como Rafe e Brooke fizeram. A única diferença era que Jake McCann tinha mudado de não querer um relacionamento leve, de brincadeira, para estar muito bem casado e ter uma família com Sophie, e Rafe e Brooke estavam só se divertindo juntos.

Era apenas um caso de verão, só por diversão, não era?

Tardiamente, ele percebeu que Sophie ainda estava falando.

— ... Falei com Mia um dia desses, e ela me contou que você comprou a casa do lago de volta. Estou tão feliz por você, e na verdade estou ligando em parte por causa disso. Estamos planejando umas férias de verão mais tardias, e, assim que sua irmã me contou, o lago me pareceu o refúgio perfeito para a loucura diária. Além disso, eu podia ver você e dar uma parada em Seattle para ver o restante da família também. Você sabe se há algum chalé ou casa para alugar disponível?

— Fique aqui na minha casa.

— Tem certeza? Conviver com nós quatro pode ser muita coisa, mesmo que só por alguns dias.

— Vocês podem ficar com a casa só para vocês.

— Não podemos expulsar você da própria casa.

— Não tem problema — ele garantiu. — Tenho certeza de que posso me acomodar na casa ao lado.

— Então — a prima disse, demorando-se na pronúncia da palavra —, parece que Mia está certa. Você e Brooke estão oficialmente...

— Não há nada oficial — ele logo esclareceu —, mas Brooke é uma boa amiga, e tenho certeza de que não se importará se eu ficar na casa dela, ainda mais se isso fizer com que ela veja você e sua família.

Mesmo enquanto falava, ele percebia que as palavras não soavam corretas em sua cabeça, não parecia certo falar daquele jeito. Ele não estava mais "se acomodando" na casa de Brooke, e, apesar de ser verdade que nada era oficial, isso não tornava o que eles compartilharam menos poderoso, menos potente.

Ele ouviu um grito agudo ao fundo e então o telefone caiu quando Sophie disse. — Ah, Smith, querido, está tudo bem. — Quando ela pegou o telefone de volta dava para ouvir o garotinho chorando. — Desculpe, Rafe. Como eu disse, não há nunca um momento ocioso.

Ah, antes de irmos, Jake quer que você saiba que ele tem uma nova cerveja maravilhosa que está fermentando para levar para você.

— Mande beijos e abraços a todos por mim, Soph. E, assim que vocês decidirem as datas para as férias, considere a minha casa como sua.

Rafe não pensou que pudesse invejar um cara que antes podia ter a mulher que quisesse e agora tinha que lidar com uma esposa e dois bebês... Mas naquele momento Rafe achava que Jake McCann era o cara mais sortudo do mundo.

Três horas depois, Brooke chegou à porta da sua casa. Ela ouviu a furadeira na casa de Rafe quando saiu do carro, mas, apesar de estar morrendo de vontade de vê-lo, também estava desesperada por outro banho para mandar embora as leves dores por ter dirigido tanto tempo.

Sempre parecia tão bom voltar ao lago, mesmo depois de se afastar apenas por um dia. Só que hoje ela estava agradecida por muito mais do que o belo lago com a lua minguante que começava a aparecer.

Ela teve bastante tempo para pensar no carro. Era, na verdade, a razão principal pela qual queria fazer a viagem sozinha. Claro que teria adorado passar essas horas com Rafe, mas sua cabeça estava girando muito rápido depois que fizeram amor mais uma vez na cama de manhã, ainda molhados do banho.

Rápido demais.

Como, ela se perguntava, tudo poderia mudar com tanta rapidez?

Ou, ela perguntou a si mesma repetidas vezes conforme dirigia, será que nada tinha mudado de fato?

Sim, eles não eram mais amigos platônicos, tinham mudado por completo para uma amizade colorida. Mas, além disso, havia mais do que calor nos olhos dele quando ele olhava para ela enquanto faziam amor?

Será que as emoções que ela pensou poder ouvir em sua voz quando ele sussurrava seu nome estavam mesmo ali? Ou será que ela estava apenas imaginando o que estava tão desesperada por ver e ouvir... e sentir... dele?

Por hoje, ela decidiu que teria que ser suficiente ampliar os limites da sensualidade. Brooke iria focar em lutar uma batalha de cada vez.

Primeiro, por todo o prazer que podiam dar um ao outro.

E então, se tivesse mais sorte, pelo coração dele.

Diferentemente do banho que ela e Rafe tinham tomado juntos naquela manhã, que ela não queria que terminasse nunca, agora ela deu uma lavada rápida nos cabelos, uma ensaboada no corpo antes de se enxaguar e sair do banho. Em geral, vestir jeans e camiseta depois de usar um vestido feito sob medida e salto alto o dia todo na cidade tinha sabor de lar. Mas ela não estava planejando colocar jeans naquela noite.

Antes de sair da loja de Colbie, ela comprou não apenas as belas sedas, mas também a lingerie mais linda — e mais sexy — que tinha visto. Ela comprou pensando em como Rafe iria reagir ao vê-la vestida com ela, mas, quando tirou a peça refinada de seda e renda da sacola, percebeu que usá-la *a* deixaria muito emocionada. Ela nunca deu muita importância para roupas íntimas antes, mas, depois de passar algum tempo na *Indulgência*, ela se perguntou se essa não seria outra forma de liberar seu lado selvagem, com segredos sensuais que apenas ela e o amante saberiam que estavam à espera debaixo de suas roupas.

Ela vestiu o segredo debaixo de um simples vestido de algodão azul e deixou a outra compra sobre os travesseiros quando ouviu Rafe entrar em casa, dez minutos depois. Quando entrou na sala, e o encontrou na metade do caminho para abraçá-lo, ela se esqueceu dos segredos e do seu dia em Seattle.

Tudo em que ela conseguia pensar era em como era bom estar de volta aos braços dele.

CAPÍTULO DEZOITO

Deus, como ele sentiu falta dela hoje.

Quando Rafe ouviu Brooke chegar com o carro, quis largar suas ferramentas e tirá-la do banco do motorista para beijá-la muitas vezes, mas ele se forçou a dar a ela alguns minutos para se recompor.

Há quatro dias ela não estava na vida dele.

Há quatro dias ele poderia passar doze horas seguidas sem sentir a falta dela.

Há quatro dias ele não fazia a menor ideia do quanto sua vida ia ficar abalada por um linda garota com olhos inocentes e curvas macias que não acabavam nunca.

O cabelo de Brooke ainda estava um pouco úmido do banho que havia tomado. Ele ficaria com ela horas para sentir seu aroma doce e fresco.

— Como foram as suas reuniões?

— Boas. — Ela levantou o rosto e disse: — Senti sua falta hoje.

O coração dele se apertou. As mulheres com quem esteve ou davam uma de difícil, ou o pressionavam por mais do que ele tinha qualquer intenção de dar. Mas ele sabia que ela estava dizendo apenas o que sentia, sem nenhum motivo velado.

Ele abaixou a boca até encontrar a dela e disse com um beijo o quanto tinha sentido a falta dela. Mesmo assim, apesar de só conseguir pensar em levá-la para a cama para repetir o amor que tinham feito no início do dia, ele recuou. — Você deve estar exausta da viagem.

— Eu estava — ela admitiu —, mas, agora que você está aqui, não estou mais.

Tudo o que ele queria era arrastá-la para o quarto, arrancar as roupas dela e possuí-la com força e rapidez. Em vez disso, perguntou: — Está com fome?

Os lábios delas se curvaram em um pequeno sorriso. — Sim.

Droga, de alguma forma ele teria que passar a refeição inteira sem perder o que lhe sobrava de sanidade.

Mas então ela pressionou o corpo contra o dele: — Fome de você.

Como é que ele podia fazer qualquer coisa que não fosse amar a boca de Brooke assim como queria amar o restante do corpo dela? Quando ele enfim a soltou para tomar um pouco de ar, e os dois ofegavam, ela lambeu os lábios, que já estavam úmidos por causa da língua dele.

— Há algo que eu quero lhe mostrar.

Rafe avisou a si mesmo que podia ser qualquer coisa. Fotos da nova loja. Um novo estilo de caixa que ela encontrou para embalar os chocolates. Até podiam ser os contratos que havia assinado naquele dia. Mas a forma como ela disse as palavras *Há algo que eu quero lhe mostrar* fazia com que Rafe só pensasse em coisas sensuais.

Coisas obscenas.

Quando ela entrelaçou a mão na dele e o levou para o quarto, ele de imediato notou várias tiras de seda colorida sobre os travesseiros. A olho nu, até pareciam lenços. Mas Rafe sabia bem para que serviam.

Eram várias ligas para serem usadas na pele nua da mulher, e ele ficou louco só de imaginar Brooke as usando.

— Onde você arrumou isso?

Quando ela pegou a seda, a doçura brilhava em seus olhos junto com a crescente malícia que não parava de surpreendê-lo.

— Em uma loja bem divertida de Seattle.

A visão de Brooke procurando brinquedos sexuais fez com que Rafe quase estourasse o zíper do jeans. Mas essa era exatamente a coisa que ele jurou que não faria com ela. Ela era uma boa garota antes, e ele duvidava se ela de fato entraria em uma loja dessas antes de eles começarem a dormir juntos.

Forçando-se a afastar a visão clara demais de usar as tiras para prender as mãos e os pés, deixando seu lindo corpo aberto para ele, Rafe disse: — Já disse que a gente não precisa de acessórios.

Apesar de a voz ser brusca, quando ele a afastou um pouco depois, fazendo a seda cair dos dedos dela conforme as mãos dela deslizavam pelos ombros dele, seus lábios foram delicados ao sentir os dela. Brooke suspirou na boca dele, emitindo um dos seus sons de prazer, que ficaram se repetindo em sua cabeça o dia todo.

Ele pegou o tecido do vestido com as mãos e o levantou. Mas, quando chegou aos quadris, teve que passar as mãos neles e nas coxas. Renda e seda e a maciez da pele dela encontraram seus dedos. Ela o satisfazia, cada parte dele, tanto que ele não via a hora de tirar todo o vestido. Só que assim que tirou o vestido, Rafe se esforçou muito para não ficar boquiaberto.

Tiras de renda e seda transparente cruzavam o corpo dela, deixando-a ao mesmo tempo coberta e nua... E tão linda que ele ficou paralisado.

— Também comprei isso hoje — ela disse, com voz rouca. — Você gostou?

Mas ele ainda não conseguia falar, não conseguia fazer nada a não ser aproximar-se dela para passar os dedos pelo tecido que começava em seus ombros para curvá-la sobre seus seios incríveis. Os mamilos intumescidos debaixo das suas mãos, e ela pressionou o corpo em suas mãos. Mais uma vez, era a pura sensualidade ganhando vida enquanto ele acompanhava as tiras na barriga dela, que iam até seu maravilhoso bumbum.

Por tantas vezes ele tinha prometido refrear os desejos naturais com ela, mas agora ele se perguntava como é que ia conseguir fazer isso.

Qualquer autocontrole que houvesse sobrado estava se esvaindo conforme seus dedos continuaram a vagar aos poucos sobre a renda e a seda. E, quando ele afinal posicionou a mãos entre as pernas dela, descobriu que a lingerie que era sexy de chocar não cobria tudo, afinal de contas.

Pele úmida e quente foi o que seus dedos encontraram em vez de renda e seda. Sussurrando o nome dele, Brooke remexeu os quadris de forma que os dedos dele a acariciassem e a penetrassem. E logo ela gozou para ele, e a alegria que ele sentiu quando ela chegou ao clímax foi diferente de tudo o que sentiu antes.

Apenas com Brooke.

Meu Deus.

A nova lingerie sensual de Brooke tinha inspirado uma reação e tanto em Rafe... Uma reação que o deixou formigando dos pés à cabeça. Mas havia outras coisas que ela queria fazer também. Coisas que envolviam não apenas a lingerie travessa, mas também as tiras de seda que ela havia comprado em Seattle. Coisas que Rafe, é óbvio, não tinha a intenção de dar a ela.

Talvez fosse melhor assim. Como ele tinha essa ideia de não querer "matar a inocência dela", Brooke tiraria qualquer espaço para culpa em potencial das mãos dele para acabar ela mesma com essa inocência.

Quem sabe o fato de saber como ele ficou tão mexido pela lingerie sexy tenha feito parecer muito natural ficar de joelhos na frente dele. Ela não conseguia parar de sorrir pela forma como ele franziu a testa para ela.

— Brooke...

— Shhh — ela disse, da mesma maneira que ele tinha feito quando estavam no chuveiro e ela implorava que ele não a provocasse. Ela não precisava senti-lo debaixo do jeans para saber como estava excitado, mas, quando ela abriu o zíper e foi abaixando a calça, embora ela já tivesse feito isso com ele mais de uma vez, ficou surpresa de novo ao ver como ele era grande. Ela já estava com água na boca, e não abaixou só a calça, mas também a cueca boxer.

— Ah, Rafe. — Ela não tentou esconder o prazer em ver como ele era lindo.

Uma das mãos subiu automaticamente para segurá-lo, e ele se contraiu uma vez, duas vezes contra a palma e os dedos dela. — Venha para a cama comigo, Brooke.

Mas ela não queria fazer isso — não a menos que ele estivesse disposto a brincar com ela como ela imaginava que ele brincava com suas outras amantes. Por um lado, Brooke sabia que eles tinham mais do qualquer amante anterior — a amizade, o passado, as conexões familiares. Mas, por outro, ela sabia que eles tinham menos.

Ela não ia aceitar isso, quaisquer que fossem as razões que ele tivesse para se comportar dessa forma, por acreditar que ela não saberia lidar com seus desejos sombrios... ou com os dela. Ela não ia chegar tão longe a ponto de pedir hoje que ficassem juntos para sempre, só ia pedir o que estava fazendo agora.

Quando o soltou, Brooke sabia que Rafe ia pensar que ela iria fazer o que ele tinha acabado de pedir e ir para a cama. Em vez disso, ela pegou as sedas que havia derrubado no chão quando ele a beijou antes. Ainda de joelhos na frente dele, ela as segurou e lhe deu mais uma chance.

— Se eu for para a cama, você vai usar isso em mim?

Nunca ninguém jamais olhou de forma mais conflitante do que Rafe naquele momento, e ela quase se sentiu mal por ele. Quase, mas não muito. Se ele pudesse deixar para lá essa insistência estúpida em tratá-la de forma "cuidadosa" — junto com sua constante preocupação de que ele fosse machucá-la de alguma forma —, ela tinha certeza de que os dois poderiam descobrir algo novo. E espetacularmente prazeroso.

Por fim, com um músculo saltando no maxilar, ele disse: — Não vou usar isso em você.

— Nem mesmo como uma venda?

A frustração iluminou os olhos negros dele, a mesma frustração que ele fazia com que ela sentisse com sua crença teimosa de que ela era doce demais, inocente demais para esse tipo de jogo sensual.

— Não.

— Tudo bem — ela disse com gentileza. — Acabei de pensar em um uso melhor para elas mesmo.

Sentada sobre os calcanhares, ela levou as mãos ao cabelo. As mechas espessas já estavam todas secas, mas ainda estavam pesadas quando juntou o cabelo.

— Veja — ela acrescentou com voz rouca. — Eu mesma posso colocá-las.

Dava para ver que ele tinha acabado de perceber que ela tinha escapado — e estava prestes a levar os dois a fazer o que ela queria — por causa de um detalhe técnico. Mas apenas vê-la prender as tiras ao redor do cabelo não era o bastante. Ela também precisava que ele entendesse com precisão *por que* ela estava fazendo aquilo.

— Dessa forma — ela disse com delicadeza ao dar o primeiro nó no tecido macio —, você terá uma visão muito boa.

— Visão? — A única palavra que saiu de sua linda boca estava abafada. À beira do desespero.

— Sim — Brooke respondeu, certa de que ele queria tanto quanto ela. De qualquer forma, ele não a deixou escolha a não ser tratar do assunto com as próprias mãos, e com a boca também. Uma onda de calor a atingiu diante da ideia do que ela estava afinal prestes a fazer. — A visão disso.

Um momento depois, ele estava na boca de Brooke, e ela gemia de prazer por enfim provar sua carne dura, dura. Ele tinha um sabor tão bom que ela se viu cada vez mais gulosa com cada centímetro dele em sua boca. E, ah, como ela amou quando ele envolveu a mão na seda ao redor do cabelo dela para segurá-la onde ela a queria conforme ele ficava cada vez maior, cada vez mais quente, sentindo sua língua toda em cima dele.

De alguma forma, pelo sangue que corria em seus ouvidos, ela o ouviu gemendo seu nome antes de se entregar todo em sua boca, em suas mãos. Ela saboreou o prazer dele como se fosse dela mesmo, e os lábios dela teriam se curvado em um sorriso completo se já não estivessem ocupados de maneira maravilhosa.

Um pouco depois, quando ele pegou no rabo de cavalo feito com a seda e ela ficou de pé, as pontas da seda estavam grudadas à pele úmida entre eles.

— Prometa que você nunca mais vai usar isso no cabelo a menos que estejamos no quarto.

Ela pensou no que ele disse e perguntou: — Você acha mesmo que os outros vão achar que isso não passa de um lindo lenço de seda?

— Não estou nem aí para o que os outros pensam. *Eu sei*, droga. *Eu sei* o que você fez comigo enquanto usava isso no cabelo. *Eu sei* o jeito que você sorriu enquanto fazia.

Claro que isso a fez sorrir ainda mais. — O que eu posso fazer se você me deixa feliz?

A luz que ela via cada vez mais brilhou no fundo dos olhos dele ao tirar as sedas do cabelo dela.

— Prometa para mim ou vou atirá-las na fogueira.

— Prometo usá-las só para você.

Uma fração de segundo mais tarde, ela estava debaixo dele, e ele jurava que ia comprar mais lingerie para ela ao agarrar a seda e a renda que ela estava vestindo, rasgando-a toda. Ela ficou extasiada pela posse brusca e desesperada, e em seguida nenhum dos dois tinha mais nenhuma pergunta, não havia espaço para mais nada a não ser suspiros de prazer e respiração ofegante de êxtase enquanto eles se entrelaçavam um ao outro.

Mas o momento perfeito foi quando os dois chegaram ao ápice juntos, e ele sussurrou as palavras mais doces que ela já ouviu: — Você me faz feliz também.

Brooke dormiu depois de alguns minutos. Rafe adorava a forma como ela se aninhava a ele, a respiração regular e suave enquanto ela dormia recostada em seu peito.

Toda vez que eles faziam amor, ela ficava mais audaciosa, mais confiante em sua busca contínua em ser selvagem. Enquanto ele acariciava os cabelos macios dela e a ouvia respirar, ele sabia como ela ficava frustrada por ele estar sempre se recusando a fazer coisas, como vendá-la com as sedas que tinha trazido para casa.

Será que ela não percebia que, pensar nela de braços presos à cabeceira de uma cama e de olhos vendados já o levava à insanidade? Ele tinha medo de estar pisando em terreno frágil, ainda mais porque ele já era bem mais agressivo com ela na cama do que pretendia. Havia muitos momentos de gentileza entre eles também, mas o fato é que ele perdia o controle todas as vezes. Então, ele a segurou pelos pulsos, a pressionou contra a parede de azulejos e transou com ela na cama de novo depois de quinze minutos.

Ele nunca se esqueceria da expressão dela ao ficar de joelhos com aquela roupa para lá de sensual, com os cabelos presos para trás para que ele pudesse ver todo o seu belo rosto quando ela olhou para ele com a alegria despudorada que demonstrava em todos os momentos, incluindo quando colocou seu pênis todo na boca.

Droga, ele pensou, ao afundar o rosto em seu cabelo perfumado; ele precisava parar de reviver a cena em sua cabeça ou acabaria sendo o cretino mais egoísta do mundo ao acordá-la para transar outra vez quando ela precisava dormir para se recuperar do dia cansativo.

Quando Brooke mudou de posição, Rafe a abraçou com mais força, trazendo suas curvas suaves mais para perto. Não havia razão para tentar negar que o que eles estavam fazendo tinha se transformado em muito mais que sexo.

O peito de Rafe se apertou ao senti-la respirando de forma lenta e regular. Quanto mais os dois ficavam próximos, mais ele se preocupava com a segurança dela, não só com a fechadura na porta da frente, mas com as pessoas que queriam tirar vantagem da sua inata natureza crédula e positiva.

Era tão fácil estar com Brooke em momentos como aquele que ele quase podia se ver passando o resto da vida com ela. Mas será que um cretino cético como ele conseguiria fazê-la feliz fora do quarto? E o que ele faria se a resposta fosse não? Será que ele poderia fazer a coisa certa e desistir da única pessoa que fez o impossível?

Quando Brooke estava nos braços dele, ela fazia as trevas — e todos os mentirosos e traidores — desaparecerem.

CAPÍTULO DEZENOVE

Merda, pensou Rafe ao olhar para o caminhão de entrega, a irmã comprou mobília demais. Mesmo assim, quando os entregadores terminaram de descarregar tudo e colocar os móveis onde Mia tinha pedido que colocassem de acordo com o desenho que fez, Rafe teve que admitir que a quantidade de móveis estava exata.

Brooke estava na casa dela fazendo o trabalho que tinha deixado de lado para ajudá-lo com a sua. O fato de ela ter perdido outro dia inteiro em Seattle também não ajudou. Rafe teria se oferecido para ajudá-la a fazer os chocolates necessários para a entrega desta semana, mas imaginou que só atrapalharia. Ainda mais considerando que ele não conseguia ficar no mesmo ambiente com ela sem arrancar suas roupas e possuí-la.

Como sempre, ele foi duramente pressionado a sair da cama dela naquela manhã. Não tinha outra coisa que ele quisesse mais do que ficar debaixo dos lençóis, com as curvas quentes dela contra o corpo dele enquanto ele provava, beijava e acariciava cada lindo centímetro dela. Mas, como ele sabia quanto trabalho ela tinha para fazer, forçou-se a sair para deixá-la trabalhar.

Ainda havia trabalho a ser feito na casa dele, mas, conforme Rafe andava pelos cômodos já mobiliados, não conseguia negar que estava tudo pronto e fácil para mudar. Naquela primeira noite, quando viu que sua velha casa do lago estava detonada, ele ficou furioso. Foi para o lago para relaxar, não para reformar a casa. Mas agora, em vez de ficar feliz por sua casa estar perfeitamente habitável, com as toalhas combinando que Mia tinha encomendado para os banheiros e as prateleiras na sala que exibiam novos exemplares de capa dura dos seus autores favoritos, um enorme nó se formou em seu estômago.

Até hoje, fazia perfeito sentido ficar na casa de Brooke. Mas, com a nova cama, um banheiro limpo e uma cozinha decorada, ele já podia mudar para sua casa agora.

Ele deveria estar animado com o combinado que fizeram. Apenas sexo. Sexo *selvagem*, nada menos que isso. Ter ouvido que ela não estava tentando se estabelecer, que ela não estava olhando para ele como um caminho para um anel de noivado e um vestido de noiva, deveria ter enchido seu coração masculino independente de alegria.

Droga, ele não estava animado com nada disso.

E não fazia sentido algum ele não estar.

Brooke tinha oferecido — ela estava oferecendo a ele sempre que ele quisesse, de qualquer jeito que ele quisesse — o sonho de todo cara. Um caso quente de verão sem vínculos, sem expectativa de nada a não ser de prazer. Mas, depois de alguns dias em seus braços, isso não bastava.

Só levou uma noite para o calor do caso deles logo espiralar para emoções mais profundas do que ele esperava.

Por outro lado, na verdade, não se tratava de alguns dias ou de uma noite, não é mesmo? Ele conhecia Brooke havia muito mais tempo do que todas as mulheres com quem esteve antes. Quando criança, passou todo verão tendo-a como vizinha por quase dez anos. Eles fizeram fogueiras e esqui aquático e caminharam nas montanhas juntos, e ele a amava da mesma forma que amava sua família. Porque era isso que ela foi e ainda era. Família.

Mas e agora? Ele seria um mentiroso se não admitisse que o amor que sentia por ela estava muito maior. Mais forte. E bem diferente do amor que tinha por sua família a amigos.

O celular dele tocou, e, embora ele não estivesse com humor para falar com ninguém enquanto sentia a cabeça e o estômago revirar, quando viu que era Ben, atendeu. — Encontrou algo?

— Ainda estou juntando as coisas — Ben disse. — Tenho uma pergunta para você.

Embora Rafe quisesse pressioná-lo, ele sabia que Ben tinha o costume inflexível de verificar três vezes tudo antes de fazer uma acusação. Era uma das razões pelas quais Rafe conseguia confiar no colega para administrar a empresa enquanto estava no lago.

— Manda.

— Um nome não para de ser associado a Delacorte nos últimos seis meses. Mas eu queria verificar com você antes de ir adiante. Você conhece uma tal de Brooke Jansen?

— Ela é minha n...

Droga, ela não era mesmo namorada dele, era? Isso não estava no *acordo* do caso de verão.

Lembrando a si mesmo que tudo o que Ben precisava para fazer seu trabalho eram os fatos, Rafe disse a ele: — Somos vizinhos no lago. Sou próximo a ela desde que éramos crianças.

— Certo — Ben disse, sem dúvida já sabendo de tudo. — É por isso que eu quis ligar para você antes de ir adiante. Como ela é sócia de Delacorte, é normal que eu descobrisse alguns detalhes sobre ela também.

Rafe estava tão envolvido com Brooke — e com sua preocupação sobre a possibilidade de que ela tivesse feito uma sociedade com uma pessoa não confiável — que não tinha pensado direito sobre as coisas. Claro que ela iria aparecer na investigação. Se Rafe não tivesse um relacionamento pessoal com ela, Ben teria apenas feito seu trabalho, sem fazer nenhuma pergunta. Em vez disso, Rafe agora tinha que tomar a decisão de como proceder.

Diante do silêncio prolongado, Ben enfim perguntou: — Você quer que eu a investigue também?

A palavra *não* estava na ponta da língua de Rafe. Brooke era um livro aberto que olhava para o restante do mundo com a confiança brilhando em seus olhos bonitos. Pessoas com esqueletos em seus armários não tinham o aroma do pôr do sol nem riam com tanta frequência e com tanta facilidade.

Mas quantas vezes antes ele não percebeu que estava errado? Ainda mais diante daqueles primeiros anos de investigações, quando ele não queria encarar a verdadeira faceta do mundo real, não queria encarar do que esse mundo era feito de verdade.

Ele tinha que perguntar a si mesmo se a verdadeira razão por estar relutante ao dizer para Ben olhar mais de perto a história da Brooke e os detalhes da vida dela era por ter medo do que seu empregado pudesse descobrir. Afinal, se Rafe de fato acreditava que Brooke sairia da investigação limpa e pura e honesta, então por que ele iria fazer com que Ben deixasse de concluir a investigação sobre seu sócio, uma vez que a envolveria também?

E, se estava mesmo pensando em um amor mais profundo e mais forte por Brooke — algo que parecia muito com *para sempre* —, Rafe não deveria ter certeza absoluta de tudo o que ela tinha feito entre os oito e os vinte e seis anos de idade?

— Vá em frente.

— Com tudo? — Ben perguntou, verificando mais uma vez.

Rafe ignorou o aperto no estômago ao confirmar. — Sim, tudo — antes de desligarem.

Fazer com que Ben investigasse o passado de Brooke era a única forma de ter cem por cento de certeza.

E Rafe nunca precisou ter tanta certeza assim sobre uma pessoa antes.

Brooke estava afundada na ganache quando o telefone tocou. Ela ficou a tarde toda esperando a ligação de Cord para que ele lhe dissesse de quantas caixas de trufa iria precisar para a imprensa. Supondo que fosse ele, ela apertou o botão do viva-voz com o dedo mais limpo que tinha e disse alô.

— Olá, querida — a mãe disse, com sua voz incisiva de advogada. — Seu pai e eu esperávamos que essa fosse uma boa hora para discutir sua nova aventura comercial.

Trufas em todos os estágios de execução estavam espalhadas pelo balcão da cozinha. Era bem provável que Brooke fosse ter que trabalhar a noite toda para aprontar todas as entregas da semana. Mas ela não teria desistido do tempo que passou com Rafe por nada. O prazer incrível de estar com ele valia muito mais do que algumas horas de sono.

O sol queimava com toda a força, o céu brilhava bem forte, até o chocolate derretendo em seus dedos parecia mais rico agora que Rafe havia aberto seus olhos para a sensualidade que havia em tudo ao seu redor.

Sabendo que, se tinha tempo para Rafe, também tinha que ter tempo para seus pais, ela respondeu: — Com certeza. Como vão vocês? — Ela continuou enrolando as trufas.

Como sempre, ela ficou surpresa com os detalhes do caso jurídico pioneiro que a mãe havia ganhado e a pesquisa revolucionária do seu pai sobre os efeitos econômicos dos celulares em países em desenvolvimento. — Vocês dois são maravilhosos — ela disse, acreditando mesmo em cada palavra. Ela estava incrivelmente orgulhosa dos seus pais e de suas realizações.

— Depois que sua mãe me contou sobre a sua nova sociedade com meu colega — o pai disse —, liguei para o Cord um tempo atrás.

Ela mal abafou o gemido. Ficou só imaginando a conversa que os dois tiveram. O pai agia como se ela ainda tivesse seis anos de idade e não pudesse ser digna de confiança nem para atravessar a rua. — Espero que vocês dois tenham tido uma boa conversa.

Graças a Deus, o pai confirmou. — Na verdade, tivemos, sim. Ele me garantiu que está cuidando de tudo e que a loja em Seattle será um sucesso.

Ao mesmo tempo em que essa era com exatidão a coisa certa para dizer ao seu pai, Brooke não podia negar que o fato de ele dar a Cord tanto crédito e responsabilidade pelo sucesso da expansão dos negócios a irritava. Eles ainda agiam como se ela estivesse brincando de trabalhar nos últimos anos em vez de ver sua clientela crescer feliz mês a mês.

Tentando mudar o assunto para algo mais leve, ela disse: — Espero que vocês possam vir para a nossa inauguração, no mês que vem. Ainda mais que o verão está lindo aqui, sem dúvida. Vocês deveriam tentar vir para uma visita.

— Talvez possamos reorganizar nossas agendas, apesar de não querermos incomodá-la — o pai disse: — A casa ao lado está livre para alugar?

— Não mais — ela respondeu, incapaz de tirar o sorriso do rosto. — Os Sullivans a compraram de volta esta semana.

— Os Sullivans voltaram para a casa ao lado?

Tentando com cuidado tirar as trufas meio geladas dos moldes para colocá-las sobre o balcão, Brooke não percebeu o tom da pergunta da mãe. — Bem, Rafe é quem comprou a casa, mas, como a irmã e um dos irmãos já vieram aqui para uma visita esta semana, tenho certeza de que a família toda vai usufruir um pouco. Eles ainda são muito unidos.

— Ele já deve estar casado, não é?

Brooke franziu a testa para o tom da pergunta da mãe. — Rafe só tem trinta e poucos anos. Não está casado. Mas ele tem um escritório de investigação particular muito bem-sucedido em Seattle.

— Parece que depois de todos esses anos você já está sabendo muito sobre ele, Brooke.

Apesar de não poderem vê-la pelo telefone, Brooke ergueu o queixo, como se os desafiasse. — Passamos muito tempo juntos desde que ele comprou a casa — ela acrescentou, em oposição direta às vozes na cabeça dela falando para não fazer isso. — Ele está ficando aqui em casa por enquanto.

Ela só podia imaginar o ataque cardíaco se tivesse dito também *na minha cama*. Era bem provável que os pais pensassem, ou desejassem, que ela ainda fosse virgem.

— Você não tem bom senso para saber que não é seguro deixar um homem que você mal conhece passar a noite na sua casa? Você não aprendeu nada desde que saiu escondida de casa quando tinha dezesseis anos, bebeu demais e entrou naquele carro com um garoto que também tinha bebido?

— Eu cometi um erro há dez anos. *Um!* Mas vocês não param de falar nisso todos os dias desde então. — A mágoa irradiava de cada palavra proferida por ela. — Por que vocês não podem confiar em mim e acreditar que eu sei o que estou fazendo, só por uma vez?

— Por que você não pode ser esperta o bastante para dizer não quando um desses *Sullivans Selvagens* diz que quer passar a noite na sua casa?

— Porque ele é meu amigo. — Mas ela sabia que seria desonesta ao parar por aí. O queixo dela ergueu-se um pouco mais ao dizer: — E mais — Rafe Sullivan era o homem por quem ela estava perdidamente apaixonada. Ela não queria mais segurar isso dentro de si. — Muito mais.

— Ah, não — a mãe disse, com óbvio horror. — É com isso que sempre nos preocupamos. Imploramos para seus avós colocarem um pouco de distância entre vocês e aquela família e ficamos tão agradecidos quando eles venderam a casa. Mas agora, depois de todos esses anos, aconteceu exatamente o que temíamos.

Os punhos de Brooke, cheios de chocolate, se cerraram, e ela encarou o telefone. — Como vocês puderam? — a pergunta saiu um pouco mais alta do que seu chiado de dor. — Eles eram como uma família para mim, e vocês os queriam longe? Vocês ficaram *felizes* quando eles perderam a casa?

Mas era como se ela não tivesse falado nada quando o pai acrescentou. — Mesmo quando eram adolescentes, esses garotos Sullivans eram perigosos. Sempre soubemos que um deles ia acabar tirando vantagem do alvo fácil na casa ao lado.

Alvo fácil?

Meu Deus, será que era isso mesmo que os pais pensavam dela? Que ela era só uma garota ingênua que não conseguia pensar sozinha? Que não tinha força de vontade — nem bom senso suficiente — para recusar um homem que não quisesse? Um homem por quem ela não se importava com todas as batidas do seu coração e com toda a sua alma?

Mas ela já sabia a resposta para isso, não sabia?

Era assim que seus pais sempre pensaram — que ela era frágil demais, inocente demais, tola demais para se manter segura. Só que agora eles tinham ido longe demais.

Uma coisa era pensar que ela não era capaz de tomar boas decisões. Mas dizer que Rafe a tinha enganado como se ele fosse um psicopata a atraindo com doces na esquina?

Foi isso o que afinal a fez ver — e falar — diretamente.

— Fui eu que propus a ele — ela falou com tudo, apesar da respiração ofegante dos pais por causa do choque. — Ele tentou manter distância, mas eu não deixei. E ficar com ele foi a melhor decisão que eu tomei em minha vida. Rafe Sullivan é o homem mais maravilhoso que conheci. Melhor do que qualquer um dos homens que vocês acharam tão bons, tão seguros. Nenhum deles se importava comigo como ele se importa.

Talvez ele ainda não tivesse dito que a amava, mas isso não significava que ela não via como ele se importava com ela cada vez em que a olhava, em cada beijo, em toda vez que ele se movia dentro dela e fazia sua alma decolar.

Ela ouviu as botas de Rafe na varanda da frente e, de propósito, disse uma coisa que sabia que iria deixar os pais ainda mais agitados. — Falando no diabo — ela deu ênfase em particular à palavra *diabo* —, ele está chegando. Tenho que ir.

— Brooke...

Ela não apenas desligou o telefone como o arrancou da parede, deixando marcas de chocolate em tudo o que tocava.

— Graças a Deus você está aqui — ela disse assim que Rafe entrou.

Ele ficou preocupado na mesma hora. — O que aconteceu?

Ela balançou a cabeça de modo negativo, aproximando-se dele. — Nada que você não possa consertar. — Assim que ele a pegou em seus braços, ela perguntou: — Como você sabia que eu precisava de você neste exato segundo?

— Porque eu também precisava de você. Precisava tanto que quase morri por ter que deixar você sozinha para trabalhar.

— Não quero ficar sozinha. — Não quando ele era tudo de que ela precisava.

— Diga o que você realmente quer, querida.

— Você. — Ela pressionou a boca de Rafe à veia pulsante na lateral do pescoço. — Só você.

CAPÍTULO VINTE

Rafe a levantou e a colocou sobre o balcão da cozinha para que pudesse envolver seus braços e pernas ao redor dela enquanto a beijava. — Você tem um gosto tão doce.

— É o chocolate.

— Não, é você toda.

Seus olhos se encheram de lágrimas e o ar lhe faltou aos pulmões. Como ela tinha acabado de dizer aos pais, Rafe era diferente. Especial. E ele sempre percebia as coisas mais do que as outras pessoas.

Para distraí-lo das perguntas que via em seus olhos — perguntas que ela não queria responder até que conseguisse tirar forças da sua bela conexão —, ela mergulhou o dedo na tigela de ganache que estava esfriando e disse: — Experimente isto.

Ela sabia que não o tinha enganado, mas ele foi gentil o bastante para deixá-la distraí-lo e abaixou a cabeça até a altura do dedo dela para lamber.

— Você gosta?

— Sim — ele disse antes de mergulhar o próprio dedo na tigela. Em vez de dar a ela, sua boca se curvou em um sorriso travesso que ela gostava tanto de ver. — Mas aposto que o gosto vai ficar melhor assim.

Ele deslizou o dedo coberto de chocolate devagar pela curva superior do seio acima do decote do vestido. A ansiedade por sentir a língua dele no mesmo lugar fez com que ela perdesse o fôlego. Claro que ele a fez esperar ao desenhar outra linha de chocolate do outro lado.

Por fim, ele abaixou a cabeça e lambeu seu corpo e ela sentiu a língua quente e molhada em sua pele. Os músculos do ombro dele estavam rígidos debaixo das mãos dela conforme ela se segurava nele com todas as suas forças. Era isso ou escorregar no balcão em uma poça de líquido aquecido.

— Eu estava errado — ele afirmou depois de lamber todo o chocolate.

Sentir a língua dele em sua pele nua, ainda mais no meio do dia, em sua cozinha, enquanto ela estava toda entrelaçada a ele, tinha esmagado seu cérebro. De alguma forma ela encontrou sinapses suficientes para perguntar. — Estava? — Apesar de Brooke com franqueza não lembrar o que poderia estar errado.

— Você tem um gosto tão bom que nem mesmo o melhor chocolate do mundo pode ser comparado.

Ela ficou com homens por meses que não a fizeram se sentir tão especial como Rafe fez com que se sentisse em menos de uma semana. Ela sempre foi um pouco apaixonada por ele quando garota, observando-o ser livre e selvagem. Mas agora ela sabia muito mais sobre ele. Ele era um homem que faria qualquer coisa por sua família. Era o detetive particular que ajudava estranhos com seus problemas, encontrando as respostas de que eles precisavam. E era o amante que sussurrava as palavras mais doces que ela já tinha ouvido.

Como ela podia fazer outra coisa que não fosse se apaixonar por ele?

Brooke pegou o rosto dele com ambas as mãos e o beijou com todo o amor que tinha em seu coração. Mas, apesar de os beijos dele serem pura magia, naquele momento ela precisava de mais. Ela precisava dele todo, precisava senti-lo mover-se dentro dela para preencher o espaço que aquele telefonema dos pais tinha deixado vazio.

Ela pegou a camiseta dele com tanta força que a rasgou ao puxá-la pela cabeça. Suas mãos estavam no zíper do jeans um batimento cardíaco mais tarde, e graças a Deus, ele não tentou pará-la dessa vez, não planejou provocá-la até ela implorar.

Ele tirou o jeans e a cueca boxer, e então ergueu o quadril dela do balcão o bastante para que ela pudesse tirar o próprio vestido. Ela estava abrindo o sutiã quando ele pegou na renda entre as suas pernas e a arrancou de seu corpo.

A emoção de ser querida, de ser tão desejada, a fez estremecer. Toda nua, ela jogou seus braços e pernas ao redor dele enquanto ele cerrava os punhos no cabelo dela. Rafe inclinou a cabeça para roubar sua boca em um beijo escaldante que dizia exatamente como a queria, quente e contorcendo-se debaixo dele, com a pele úmida ao gozar repetidas vezes diante do seu comando.

Em seguida, ele empurrou o quadril dela em direção ao centro do balcão da cozinha e a sentou nele. O granito estava frio debaixo da pele superaquecida dela, mas as mãos de Rafe moviam-se por todos os centímetros do corpo dela e eram mais do que suficientes para aquecê-la de novo.

Os dois deslizavam no chocolate àquela altura e estavam com a pele coberta por ele enquanto se acariciavam, se tocavam, se lambiam e se mordiscavam. Que emoção ter as duas coisas favoritas do mundo: Rafe e chocolate.

Ela estava pensando que seria bem mais fácil nunca mais experimentar nem fazer trufas de novo do que perder Rafe quando ele mandou embora todos os pensamentos de perda da sua cabeça enquanto se movia por inteiro entre as suas coxas ao penetrá-la com a impulsão perfeita.

— *Ah, Rafe.*

As palavras dela soavam como se tivessem vindo de uma longa distância em vez de seus lábios. Ela tinha vaga consciência de uma das suas mãos enormes estar segurando sua cabeça enquanto a outra estava no quadril, protegendo-a do granito, mas ela não se importava em ficar um pouco roxa. Ela não se importava em ficar segura, não se importava com nada, só se importava em amar o homem mais lindo do mundo — e ser amada por ele. Quando eles ficavam juntos dessa forma, nada mais importava, só a alegria que a dominava da cabeça aos pés, por dentro e por fora.

Ela não conseguia parar de dizer seu nome enquanto ele a levava mais alto, depois mais alto ainda, até perceber que ele também estava dizendo seu nome, e suas bocas se encontraram outra vez em um ardente beijo. Mesmo pegos no desespero, eles se moviam em perfeita sincronia, de rápido a devagar e rápido de novo. E, quando a beleza pecaminosa do seu ato de amor afinal os sobrepujou, ela arqueou o corpo para trás para que ele a penetrasse mais fundo enquanto ele a segurava com mais força do que a segurou antes. Brooke nunca se sentiu tão completa quando gozou debaixo do corpo dele, e o orgasmo dele veio logo em seguida.

Só quando ele se afastou é que Brooke percebeu que ele devia ter pegado uma camisinha antes de deixar o jeans cair no chão da cozinha. Ela nunca tinha sido descuidada com um homem antes na cama, nunca tinha perdido o controle antes de Rafe, nunca tinha confiado em ninguém como confiava nele.

Sendo assim, ele tomou conta dos dois, como ela sempre soube que cuidaria.

Ele a ergueu do balcão e a carregou para o banheiro, segurando-a firme em seus braços ao entrar na banheira e deixar a água cair para lavar o chocolate dos dois.

Ela recostou a cabeça no ombro dele e fechou os olhos. — Você tem razão. Não precisamos de acessórios para sermos selvagens. — Ela virou o rosto para ele com um sorriso nos lábios, mas ele não estava sorrindo. — Você não está se sentindo culpado por me perverter mais uma vez, está?

Claro, ele ficou surpreso por ela o compreender tão bem. — Eu poderia ter machucado você no granito.

— Você jamais poderia me machucar.

Ela sentiu que ele ficou meio tenso atrás dela. Pensando bem, Rafe não parecia meio agitado com alguma coisa quando entrou na cozinha? Mas ela estava tão envolvida com as próprias emoções que não parou para perguntar se ele estava bem.

— Rafe? — E ela imediatamente se virou na banheira para ficar no colo dele com as mãos enlaçadas no seu pescoço. — Não somos apenas amantes, somos também amigos. Você pode me contar qualquer coisa. Você sabe disso, não sabe?

— Nunca fui amigo de uma amante antes.

Ela acariciou a bochecha dele. — Nem eu, mas acho que estamos indo muito bem.

Tão bem que ela sabia que não podia esperar que ele fosse honesto com ela sobre o que se passava em sua mente se ela não fosse honesta com ele também. Brooke poderia ter evitado a pergunta que Rafe fez antes, da mesma forma que evitou havia poucos minutos. Ainda mais quando ele já estava excitado de novo. Bastava o menor movimento dos quadris para que os dois se esquecessem das perguntas por mais um tempo.

Mas para que se tornassem de verdade mais que amantes, eles não poderiam conversar apenas sobre coisas fofas... coisas sensuais... Teriam que conversar sobre coisas difíceis também.

— Você me perguntou o que aconteceu quando entrou na cozinha — ela suspirou. — Meus pais ligaram.

Ele tirou uma mecha coberta de chocolate da testa dela. — O que eles disseram que a deixou chateada?

— Eles ainda acham que eu sou uma garotinha que precisa da orientação deles, da proteção deles, da sabedoria deles. Não estou dizendo que não precise às vezes nem que a conhecida sabedoria não seja válida, mas... — ela suspirou, a água na banheira movendo-se ao menor movimento do corpo dela contra o dele — Todos esses anos eu tive tanta certeza de que um dia eles iriam abrir os olhos e me ver. Ver meu eu verdadeiro, a mulher que me tornei, não apenas a adolescente que cometeu um grande erro quando tinha dezesseis anos. Entendo que eles ficaram aterrorizados quando eu me envolvi em um acidente de carro, mas...

— Espere um pouco. O que aconteceu quando você tinha dezesseis anos?

— Eu não aguentava mais nem por um segundo a sensação de ser prisioneira em meu próprio quarto, então, quando minha amiga sugeriu que eu saísse escondida de casa para ir a uma festa algumas ruas acima da minha, em vez de dizer não, eu disse sim. Mas eu tinha pouca experiência com as coisas comuns dos adolescentes, e, quando alguém me deu um copo de ponche, eu tomei tudo. E depois tomei mais um. Em seguida, tudo o que sei é que estava meio tonta.

— Havia bebida alcoólica no ponche, não havia? Uma bebida que não tem gosto nem cheiro de álcool?

Ela assentiu. — Acho que sim. Mas era bem provável que tudo fosse ficar bem e eu voltaria para o meu quarto sem que meus pais jamais descobrissem se eu não tivesse entrado no carro de um garoto que acabou em uma colisão. — Ela piscou. — Ele também tomou o ponche e acabou batendo em uma árvore no quintal de alguém. O air bag funcionou e não aconteceu nada comigo, mas... — Ela balançou a cabeça em sinal de negação, sentindo-se tola mesmo depois de todos esses anos. — Bem idiota, não?

— Sim, foi uma estupidez — ele concordou, e o coração dela começou a se apertar quando ele acrescentou —, mas todo adolescente é estúpido. Ser estúpido faz parte de ser adolescente.

— Por que meus pais não conseguem ver isso? Por que eles não conseguem me ver pelo que sou? Por quem eu me tornei?

— Queria poder prometer a você que eles vão conseguir — Rafe disse com gentileza —, mas, como eu não posso, tudo o que posso dizer é o
que vejo toda vez que olho para você. — Os olhos dele estavam cheios de muito mais do que desejo ao acariciar o rosto dela. — Vejo uma beleza incrível. — Ele deslizou as costas de uma das mãos pela curva do corpo dela que ia dos seios aos quadris. — Vejo uma sensualidade que me choca como o diabo cada vez que fazemos amor. — Ele não parou de mexer as mãos debaixo d'água até encontrar a dela. — Vejo talento para fazer a melhor trufa do mundo. — Ele colocou ambas as mãos sobre os seios dela. — Vejo um coração que é grande o suficiente para acolher a minha família, que aparece sem aviso prévio em sua casa. — Ele levou a mão dela à boca para dar-lhe um beijo. — Mas, acima de tudo, vejo uma mulher tão esperta que fez algo que poucas pessoas não vão nem perceber que precisam lutar por isso. Você construiu sua vida do jeito exato que queria, fazendo o que ama, no lugar em que quer estar. Você não precisa provar nada para ninguém, Brooke. Você já provou.

Com apenas algumas das mais belas frases que ela já tinha ouvido na vida, ele respondeu a todas as perguntas que ela tinha sobre se apaixonar pelo vizinho e amigo, e todas as dúvidas tinham sido apagadas.

Tudo o que Brooke sempre quis era que alguém a visse — e a amasse — por quem ela era de fato. Até que enfim ela o encontrou. O primeiro garoto que tinha amado também seria o último.

— Lembra que eu disse que, se você algum dia desistisse de ser detetive particular, você deveria considerar ser chef?

Ele inclinou a cabeça diante da estranha reação às suas incríveis palavras doces. — De repente ficou com vontade de comer ovos mexidos?

— Não, mas quero que você saiba que mudei de ideia. Muitas pessoas podem fazer ótimos ovos mexidos, mas poucas podem ser poetas.

— Não sou poeta, Brooke.

— Para mim — ela disse ao recostar a cabeça em seu ombro —, você é.

CAPÍTULO VINTE E UM

Rafe queria fazer tudo o que pudesse para tirar a dor persistente nos olhos de Brooke por causa do telefonema dos pais. Mas como fazer amor com ela só a deixaria mais atrasada na fabricação das trufas, ele ofereceu as duas mãos para serem usadas como ela quisesse para terminar o restante dos pedidos. Ela aceitou a ajuda com um enorme sorriso de felicidade, que fez com que ela se atrasasse mais alguns minutos na escala apertada em seus braços, apesar das melhores intenções de manter suas mãos longe dela até que o trabalho tivesse terminado.

Mais cedo naquele dia, ele ficou preocupado de estar atrapalhando, mas, quando ela logo mostrou que precisava dele, Rafe percebeu que deveria ter dado a ela crédito suficiente para saber de maneira exata como fazê-lo trabalhar de uma forma que ele fosse ajudar mais do que atrapalhar.

Ele odiava pensar na possibilidade de alguém prejudicá-la de alguma forma. Quando ele entrou, depois que ela desligou o telefone ao falar com os pais e contou que precisava dele, Rafe ficou desesperado para curar a dor nos olhos dela, substituindo-a por prazer. Fazer amor com ela no balcão da cozinha foi quente e selvagem, mas, mais que isso, foi cheio da doçura que Brooke tinha em sua essência.

Tudo o que ela fazia apresentava a mesma contradição. A combinação de calor e frescor dos seus chocolates. Os vestidos simples por cima da renda e da seda travessas... ou por cima de nada. Pervertida e, ah, tão doce. Um homem seria um tolo se não olhasse além da superfície de Brooke.

Será que isso significava que ele também tinha que ser um tolo ainda maior ao pedir a verificação de antecedentes de Brooke?

Mesmo assim, apesar de Rafe ter dito de coração todas as palavras que lhe disse na banheira, apesar de ter visto com os próprios olhos sua beleza, sua inteligência e como seu coração era grande, o que dizer de todos aqueles anos em que eles ficaram separados? Será que havia algo que ele tinha que saber que era maior do que sair escondida aos dezesseis anos e ficar bêbada, algo que ela nunca admitiu para ele? Algo que os separaria?

— Rafe? — Ele não percebeu ter dado voz à sua frustração diante da raivosa batalha interna até ela dizer seu nome. — Você já me ajudou muito. Vou para a cama assim que acabar as entregas.

Ele saiu de perto das caixas que estava montando para abraçá-la por trás. Ele recostou o queixo em cima da cabeça dela e adorou a forma como ela logo relaxou em seus braços. — Não vou a lugar algum.

Ela virou o rosto para ele, e ele lhe deu um beijo terno. Antes que ela pudesse se virar em seus braços para convencê-lo a arruinar o trabalho duro, levantando-a no balcão para possuí-la outra vez em outra onda de desejo irrefreável, ele moveu as mãos para os ombros dela e fez uma massagem.

— *Meu Deus.* Por favor, não pare.

Ele sorriu ao afundar os dedos com mais força em seus músculos. — Fico feliz por você gostar.

— É bom demais. — Os olhos dela se fecharam e a cabeça caiu para trás enquanto ela apreciava cada segundo da massagem de improviso. — Chef, poeta e agora massagista. Você é tão bom em tudo o que faz.

Ele lhe deu um beijo na cabeça. — Você deve inspirar o melhor em mim.

Ela esfregou os quadris na virilha dele. — Imagino o que mais posso inspirar.

— Assim que terminarmos de fazer o restante dos chocolates e entregarmos tudo, podemos descobrir — ele prometeu, antes de relutar em se afastar das belas curvas inspiradoras para voltar ao trabalho de montagem de caixas de trufas.

O céu estava escuro, e só havia um pedaço da lua visível. Conforme eles trabalhavam, o reflexo da lua na superfície da água ia se movendo pelo lago até ser substituído pelo nascer do sol.

— Não tenho dúvida — ela disse quando terminaram de montar a última leva de caixas. — Estou velha demais para passar a noite em claro, é oficial. Obrigada pela ajuda. Eu não ia chegar nem perto de montar tudo isso se não fosse por você.

— Você não teria ficado tão atrasada se não fosse por mim também.

— Estamos tendo mais uma das nossas discussões idiotas — ela disse, sorrindo. — Vamos entregar tudo isso para que possamos voltar a nos inspirar.

As pessoas iam se perguntar — e supor coisas — quando o vissem com Brooke pela manhã. Era uma cidade pequena e unida. E ele não fazia parte dela havia dezoito anos, mas Rafe não se esqueceu de como funcionava. A notícia de que ele havia comprado a casa da família de volta já tinha se espalhado como fogo selvagem, e ele duvidava de que o jantar ou o passeio de moto com Brooke tivessem passado despercebidos também.

Os moradores da cidade iam se perguntar como na face da terra ele tinha se tornado o cara mais sortudo do planeta. Mais que do isso, eles iam querer saber se ao menos ele chegava perto de ser bom o bastante para ela.

Precisamente, essas eram as duas coisas que Rafe vinha se perguntando.

Quatro horas depois, Brooke estava dormindo no banco do passageiro quando ele passou com o carro pela longa entrada de cascalho entre os pinheiros que levavam às casas dos dois. Eles foram às principais áreas comerciais das três cidades mais próximas do lago e entregaram chocolates para todas as lojas de presentes, mercearias, docerias e sorveterias. Ele ficou surpreso no momento em que Brooke parou na delegacia de polícia e no corpo de bombeiros com caixas de chocolate gratuitas. Era uma ideia de marketing brilhante, e ele viu a enorme afeição que todos na cidade tinham por ela, mas não era por isso que ela fazia. Ela só queria mostrar apreciação pelo trabalho importante e difícil dos policiais e bombeiros.

Ele encontrou alguns caras nas delegacias que não via havia anos, e, ao mesmo tempo em que, como era óbvio, eles ficaram felizes em vê-lo, ele também sentiu o peso do aviso silencioso: *Faça uma besteira com a Brooke que a gente fará uma besteira com você.* Além disso, vários deles estavam bem chateados por ele ter roubado a garota mais bonita da cidade bem debaixo dos narizes dele. Saber quantos daqueles caras estariam mais do que dispostos a ser "selvagens" com ela fez com que Rafe se sentisse ainda mais possessivo e superprotetor.

A irmã estava certa. Casos de verão nunca terminam da forma como deveriam. Talvez, ele se viu pensando ao abrir o cinto de segurança de Brooke e tirá-la do carro, fosse porque às vezes terminavam até muito melhor.

Ela aninhou o rosto no pescoço dele quando ele a carregou para dentro de casa. Ao deitá-la na cama, ele tinha a intenção de tirar as roupas dela sem acordá-la, mas ela não o soltou.

— Hora de ser inspirado.

As palavras sussurradas em seu ouvido o fizeram ficar mais excitado do que já estava por carregá-la nos braços. Ela inspirava não apenas o desejo profundo, mas também as emoções que nunca deixava transparecer antes de ela entrar em sua vida.

Brooke penetrou por baixo de suas defesas, não só com beijos doces e o sexo incrivelmente quente, mas com seus constantes sorrisos e risadas, que eram disparados como balas de canhão nos pontos escuros dentro dele, enchendo-os de luz.

— Estou sempre inspirado quando estou com você.

Os olhos dela se fecharam e a excitação logo ganhou do sono. — Mostre.

A boca dela era tão macia, a língua era tão doce, que tudo o que ele conseguiu mostrar foi o fato de que não conseguia resistir a ela.

Toda vez que eles faziam amor era especial. Perfeito. Selvagem. Aquela foi a primeira vez em que fizeram de forma lenta e sonolenta, com o corpo dela derretendo-se como manteiga embaixo do dele.

Quantas outras formas de amá-la poderia haver?

Era uma questão à qual ele sabia que gostaria de tentar responder todos os dias pelo resto da vida.

A pele dela tinha gosto de chocolate, e ele sentia o seu aroma com toda a força ao tirar suas roupas devagar e beijá-la da têmpora até os dedos dos pés brilhantemente esmaltados. Ela se esticou como um gatinho feliz e sonolento debaixo dos carinhos cada vez mais quentes, também ronronando como um toda vez que ele encontrava determinado ponto sensível com sua língua.

Ela poderia ter passado o resto do dia saboreando a parte de trás do joelho dela, mordiscando o quadril, esfregando a bochecha nos seios, mas havia tantos outros pontos que ele precisava provar também.

A pele macia do pescoço quando ela se arqueou debaixo dele.

Ela parecia tão pequena quando ele a colocou de barriga para baixo para apreciar a bela curva dos quadris enquanto a massageava para tirar as dores advindas de tanto trabalho pesado no balcão da cozinha a noite toda.

A sombra dos pelos entre as coxas, que provocavam um homem além da razão.

Ela estava tão flexível em sua paixão sonolenta que ele podia girá-la com facilidade em seus braços e abrir suas coxas com as dele enquanto colocava proteção. E então ela logo se reaproximava dele, e sua boca conectava-se à dele no momento exato em que ele deslizava dentro dela. Ela estava tão molhada, e quente e pronta que ele quase perdeu o controle bem ali naquele momento.

De rostos colados, eles se moviam juntos. Dava para ver pela forma como seus músculos internos se contraíam que ela estava tão perto quanto ele. Sexo para Rafe sempre foi uma maratona, um teste para ver até onde podia levar a parceira consigo. Mas com Brooke não havia objetivos, regras nem prêmios que ele estivesse tentando ganhar. Só prazer.

E pura alegria.

Dava para sentir sua boca se curvar contra o rosto dele quando ela chegava ao clímax. Só que dessa vez, ao aumentar a intensidade dos movimentos para ajudá-la a chegar ao orgasmo mais rápido, ela deu a ele mais do que um sorriso, mais do que o doce som da sua risada.

— Eu te amo.

A boca de Brooke estava tão perto do ouvido dele ao lhe dar seu coração que ele quase sentiu como se as palavras estivessem dentro de sua cabeça, ligando todas as conexões, transformando toda luz vermelha em verde.

Rafe sabia que Brooke não tinha dito aquelas três palavrinhas para que ele as repetisse nem para forçá-lo a tomar uma decisão para a qual ele ainda não estava pronto. Ela deu a ele apenas o que estava dentro do seu coração, assim como tinha lhe dado seu corpo.

E, naquele instante, Rafe sabia que não importava o que dizia a verificação de Ben. Brooke poderia ter mil esqueletos escondidos dentro do armário que ainda assim ele a amaria.

— Eu também te amo.

Ele jurou que o tempo parou quando os olhos dela se abriram. Ela olhou para ele com uma surpresa impressionante. — Você me ama?

Todos esses anos, ele tinha tanta certeza de que o amor só acontecia uma vez a cada lua azul, mas, de alguma forma, aquela era a lua azul deles, não era?

— Amo, e muito. Só consigo pensar em você, você é tudo o que eu quero para sempre.

Os olhos dela se encheram de lágrimas mesmo com o maior sorriso se abrindo em seus lábios. Da mesma forma como ela ria a cada orgasmo, ela fez o mesmo agora enquanto as lágrimas rolavam em seu rosto. Depois que ele a beijou para afastar cada uma das lágrimas, ela sussurrou uma palavra em sua boca.

— *Para sempre.*

CAPÍTULO VINTE E DOIS

Um celular que não parava de tocar os acordou. Rafe trouxe Brooke mais para perto, determinado a ignorar qualquer coisa que não fosse quente e macio e tivesse aroma de chocolate nos braços dele, mas a maldita coisa não parava de apitar.

Ela afinal murmurou no ombro dele. — Parece bem importante.

Na quinta vez que tocou, ele começou a pensar a mesma coisa. Preocupado com que algo tivesse acontecido com seus irmãos ou seus pais, ele beijou Brooke na testa, depois saiu da cama dela. Pela janela, dava para ver que o sol estava alto no céu, e o relógio no criado-mudo dizia que já passava do meio-dia. Eles só tinham dormido algumas horas depois de terem trabalhado a noite toda, mas cada hora na cama com Brooke valia pelo menos duas sem ela.

Ela o amava.

A lembrança da forma como ela disse as três incríveis palavras para ele poucas horas antes — e como ele surpreendentemente disse o mesmo para ela — fez com que ele quisesse jogar o telefone no lago para que os dois pudessem ficar sozinhos em seu mundo aconchegante juntos.

Ele pegou o jeans da cadeira no canto do quarto de Brooke, e o telefone caiu no tapete. O nome de Ben na tela deixou Rafe paralisado. Se não houvesse nada importante a relatar, o colega teria enviado um e-mail ou deixado um recado.

Era óbvio que cinco ligações seguidas significavam que Ben precisava falar com Rafe de imediato.

— Rafe? — Brooke sentou-se na cama com as cobertas ao redor da cintura e o cabelo todo despenteado por causa da transa. — É a sua família? Está tudo bem?

— É do escritório. Vou atender na sala para você voltar a dormir.

Antes de sair, ele deu mais um beijo demorado nela, um que o deixou mais uma vez todo impressionado com sua doçura.

Os olhos dela estavam embaçados com mais do que sono na hora em que ele se forçou a sair da cama. Ele enfiou o jeans e fechou a porta do quarto atrás dele.

Sentiu um nó no estômago quando ligou de volta para Ben. Era assim que seus clientes se sentiam quando viam o nome dele em seus telefones, ligando com as notícias ruins que rezavam que ele não fosse lhes dar? Ele sempre tentou ser sensível em relação a isso, mas agora se perguntava se alguma vez chegou perto de ser sensível.

Quando Ben atendeu, Rafe disse: — Quero saber o que você tem sobre Delacorte, mas... — Ele abaixou o tom e ficou um pouco mais longe do quarto. — Já sei tudo o que preciso saber sobre a Brooke. Pode destruir tudo o que tiver contra ela.

Ele sabia agora que não havia coisa nenhuma que pudesse fazer que o impedisse de amá-la. Ele foi louco de pedir a Ben que verificasse os antecedentes dela em primeiro lugar, quase como se estivesse procurando uma forma de sabotar a própria felicidade.

— Já enviei por e-mail o documento que elaborei, então, se você não quer saber o que tenho sobre Brooke, pule a página dez — Ben disse. — Eu destruo as cópias que ficaram no computador aqui.

— Muito bom. Agora me diga o que descobriu sobre o sócio dela.

Ben se apressou em passar os detalhes do que tinha descoberto sobre Cord Delacorte. Rafe praguejou. Não era bom. Ele queria mesmo era subir na Ducati, voar para Seattle e arrancar o coração do cara com as próprias mãos. Mais tarde, Rafe prometeu a si mesmo, era bem isso que iria fazer. Mas primeiro tinha que dar as más notícias para Brooke e consolá-la.

Depois de agradecer o colega pelo excelente trabalho, havia mais uma coisa que ele queria resolver. — Quero que você se torne sócio integral da empresa, Ben. O que você acha?

— Bom. Muito bom.

— Mas eu tenho uma condição. E é uma condição bem importante. — Era engraçado como tudo ficava mais claro agora. — Não quero mais que a gente investigue traidores. Sei que essa é uma grande fatia do nosso negócio e nós, de fato, ajudamos as pessoas que precisam, mas acho que chegou a hora de deixar nossos concorrentes lidarem com esses casos.

— Concordo por completo com isso — disse Ben, que acrescentou. — Ficar distante um pouco fez bem, não fez?

Com toda a certeza tinha feito muito bem, mas apaixonar-se por Brooke tinha sido o que o fez ver as coisas com nova luz. Luz que ele não tinha sido capaz de enxergar por um bom tempo.

— Está tudo indo bem por aqui. Não se apresse em voltar, chefe.

— Sócio — ele lembrou a Ben, com um sorriso, ao desligar.

Infelizmente, o sorriso desapareceu quando fez o download das informações que Ben enviou para o seu celular. Rafe tinha acabado de ler as primeiras nove páginas quando Brooke entrou na sala.

Ela estava linda, com um roupão azul que mal chegava às suas coxas. — Você ainda deveria estar dormindo — ele disse.

Claro que ele amava a forma como ela vinha direto aos braços dele e erguia a boca para um beijo. Seria tão fácil celebrar o que eles encontraram um no outro e esquecer por um tempo o que Ben tinha dito a ele sobre o sócio dela. Mas Rafe não queria mais trevas em sua vida, o que significava que precisava saber o que estava acontecendo. Assim que ele a tranquilizasse, dizendo que tudo ia ficar bem, ele iria sair para acertar as coisas com o futuro ex-sócio dela. E ele não iria se sentir nem um pouco mal por pelo menos parte desse "acerto".

— Assim que você saiu, Cord ligou — ela disse, e ele percebeu que ela estava com o celular na mão. — Parece que tenho que ir a Seattle hoje para uma reunião muito importante de última hora com a associação de varejo do bairro. Está tudo bem no escritório? Eles precisam que você volte à cidade também?

Era difícil deixar a fúria não transparecer ao sentar no sofá com ela em seu colo e acariciar seu rosto com uma das mãos. — Na verdade, o seu sócio é a razão da ligação do meu colega Ben. — Sabendo que era melhor falar tudo de uma vez, ele disse: — Sinto dizer isso, mas Cord está roubando você.

Ela piscou fundo para Rafe, com um olhar de choque no rosto que fazia com que ele odiasse tanto os dias como aquele no escritório. Rafe odiava dar más notícias às pessoas. Ainda mais para uma mulher como Brooke, que só via coisas boas em todos e em tudo.

Ele rezava para que esse incidente não levasse seu otimismo embora.

O cabelo macio esvoaçava em seus ombros e seios enquanto ela balançava a cabeça, confusa. — Não entendo o que faz com que você pense que Cord está me roubando.

Só ouvir o nome do sócio fazia Rafe cerrar os punhos. Ele queria descontar toda a sua raiva de cada traidor, cada falsário, cada ladrão canalha do mundo na cara bonita demais do tal sócio.

— Assim que começamos a passar mais tempo juntos e você me contou da nova sociedade, mesmo sabendo que você já devia ter feito as suas averiguações, eu também fiz. Dessa forma, se houvesse algum alerta vermelho, você podia sair antes de entrar fundo demais. Sinto informar, mas minha equipe achou um baita alerta vermelho.

O choque se misturava à profunda decepção nos olhos dela. — Você investigou Cord?

Rafe de repente sentiu-se hesitante. Em vez de estar brava com Delacorte, ela parecia estar chateada com *ele*.

— Ele sacou dinheiro do fundo de investimentos que seus avós deixaram para você, um fundo que você mal tocou desde a morte deles, e usou para pagar um tratamento muito caro de fertilidade. Tenho absoluta certeza de que o médico vai reembolsá-la assim que o informarmos sobre o que aconteceu.

— Não quero que a clínica de fertilidade devolva meu dinheiro. — Na hora em que ela terminou a frase, ela já estava fora do colo dele e em pé no meio da sala de estar, olhando para ele como nunca tinha olhado antes.

Rafe levantou-se também. — Sei que ele a enganou, que a convenceu de que é alguém que ele não é. Mas ele roubou você, e você vai pegar cada centavo de volta do que é seu.

— Não — ela disse, balançando a cabeça com firmeza —, não foi *ele* quem me convenceu ser alguém que não era. — As palavras dela tinham um tom ameaçador horroroso. — A essa altura, nem tenho certeza se você merece ouvir a verdade, mas se eu não contar acho que você vai continuar fuçando o passado de todo mundo sem permissão até encontrar uma forma de provar que estava certo.

— Acabei de lhe dizer a verdade, Brooke.

— Não — ela disse com a voz mais ríspida que já tinha ouvido dela —, você me deu a versão cética, distorcida e sorrateira do que aconteceu — ela virou o rosto como se não suportasse olhar para ele. — Depois das nossas reuniões em Seattle esta semana, convidei Cord e a esposa para tomar uma bebida comigo. Apesar de estar tudo indo bem nos negócios, dava para ver que ele estava meio para baixo, e não foi difícil descobrir a razão. O médico especialista em fertilidade disse que eles tinham mais uma tentativa de fazer a fertilização *in vitro* antes de desistirem de terem um bebê, mas tinha que ser feita naquele momento ou seria tarde demais para esposa dele, que é muitos anos mais velha que ele. Eles já tinham gastado todo o dinheiro disponível, e o restante está preso no negócio. Eu disse a eles que queria ajudar, mas eles não aceitaram meu dinheiro. Mas, como somos amigos — amigos de verdade,

que falam de sentimentos e de sonhos —, sei o quanto eles querem ter um bebê e como tem sido difícil para eles fracassar. Eu dei ao médico deles as informações do meu fundo de investimento para a cobrança cair diretamente lá. Dessa forma, o dinheiro já tinha sido gasto, e ele e a esposa, que também é minha amiga, tiveram que aceitar.

Merda. Ele não podia acreditar em como tinha entendido tudo errado. Mesmo assim, ela tinha que entender por que ele tinha feito isso, não tinha?

— Não posso nem dizer como estou feliz em ouvir que ele não roubou você, e...

O resto da frase ficou no meio do caminho quando ele olhou nos olhos dela e percebeu, enfim, como era ver um coração partido — e traição — nos olhos de alguém.

— Você não vê que, ao investigar meu sócio dessa forma, ainda mais depois que eu disse que fiz minha pesquisa, você me tratou do jeito exato que meus pais sempre me trataram, como se eu não fosse capaz de tomar minhas próprias decisões comerciais? Como pôde fazer isso, Rafe? Principalmente quando você me disse ontem à noite que vê quem eu sou de verdade.

— E vejo *mesmo* — ele jurou. — Mas você não sabe o que mais eu vi. Não foram só homens traindo suas esposas. Não só esposas traindo seus maridos. Mas pessoas planejando coisas horríveis. Extorsão. Chantagem. Raptos. E coisas piores. Você não faz ideia do que as pessoas são capazes, mas eu sei com exatidão o que poderia estar no relatório que o Ben me enviou por e-mail. Você não entende, Brooke? Eu precisava ter certeza. Absoluta certeza.

Brooke sentiu que tudo o que ainda não estava quebrando dentro dela começava a se estilhaçar com as palavras dele.

— *Eu precisava ter certeza.*

— Do que mais você precisava ter certeza? — ela perguntou com voz suave. — Só das minhas decisões profissionais... ou de mim também?

Ele se aproximou dela. — Brooke...

Ela deu um passo para trás, e depois deu outro. — Entendo que você não confie nas pessoas. E até entendo a maior parte das suas razões. É por isso que eu disse que você poderia me perguntar qualquer coisa. *Qualquer coisa.* Mas, em vez de perguntar para mim o que você queria saber sobre o meu passado... — Ela se esforçou para se manter forte o suficiente, firme o suficiente, mas ela tinha que perguntar: — Você verificou o meu passado também?

Infelizmente, ela podia ver a resposta na cara dele antes de Rafe dizer: — Juro que não li e não vou ler.

De repente, ela mal conseguia respirar. Mas não era aquele maravilhoso tipo de falta de ar que a dominava quando ele a beijava. Não, era uma dor horrível que ressoava do fundo do seu peito.

— Uma coisa é investigar Cord, e eu quase consigo perdoar você por achar que ser superprotetor significa que está cuidando de mim. Mas como você pode justificar uma investigação sobre mim? Você não me conhece nada depois desta semana juntos? Ou que tal depois do fato de quase termos crescido juntos? — Ele tinha acabado de dizer que a amava pela primeira vez havia algumas horas. Mas como podia amá-la depois de ter feito isso? — Você me disse que jamais se perdoaria se dormíssemos juntos no calor do momento e eu acordasse na manhã seguinte e decidisse que tinha cometido um erro. Mas eu *sabia* que isso *nunca* ia acontecer. Porque você jamais seria um erro. — A dor debaixo do peito dela se intensificou quando ela disse: — Não

acredito que eu estava errada.

— Você não está errada, Brooke. Não sou um erro. *Nós* não somos um erro. — Ele começou a esticar a mão na direção dela, mas quando ela se contraiu, ele abaixou a mão. — Tenho certeza de que amo você. Certeza absoluta. Acho que já tinha certeza disso desde o início, mas, com tudo indo tão rápido, era mais fácil dizer a mim mesmo que eu não sabia onde estava com a cabeça para admitir que tinha me apaixonado por você com tanta rapidez. Tanta intensidade. Tanta profundidade. — A respiração dele era rápida, como se ele estivesse correndo. — Sei que estraguei tudo com esse relatório...

— Quero ver. — Seria bem mais fácil permitir-se ouvir apenas as palavras de amor, de como ele clamava senti-lo no fundo. Ela se forçou a focar no que ele tinha feito, contudo. — Quero ver o que você descobriu sobre mim na sua verificação de antecedentes.

— Brooke ...

— Mostre para mim, Rafe.

Os olhos dele estavam relutantes quando entregou o telefone a ela.

— Ben me disse que está na página dez para que eu pudesse pular essa parte.

Conforme ela foi rolando a tela e dando uma lida rápida no relatório, vendo a lista de todos os antigos endereços, antigos empregos, informações sobre os pais dela e os empregos deles, uma lágrima estúpida caiu na tela, e ela a limpou com as costas das mãos.

— Você deixou escapar a barra de chocolate que eu enfiei na mochila aos cinco anos na mercearia da esquina porque meus pais não queriam comprar para mim.

— Brooke...

Ela olhou feio para o homem que a havia feito gritar de prazer minutos antes... E que agora a fazia chorar. — E tem a prova de matemática quando eu copiei a resposta da garota que sentava ao meu lado quando eu tinha dez anos porque o tempo acabou e eu entrei em pânico por não levar um "A" para casa. Certifique-se de que a sua equipe acrescente isso aos relatórios para o próximo cara que decidir verificar meu passado antes de decidir se ele tem *certeza* suficiente para se deixar se apaixonar por mim.

— Fui um idiota por não confiar em você — ele disse com a voz rouca de emoção, e algo que parecia medo. — Fui um idiota por achar que poderia haver esqueletos em seu armário como há no de todo mundo.

— Mas eu tenho, Rafe. Não sou perfeita. Ninguém é. E, se você tivesse me perguntado sobre meu passado em vez de mandar fazer esse relatório imbecil, eu teria contado a você que meus pais me disseram a vida toda para tomar cuidado, para ver com atenção e para eu me certificar de nunca me machucar. Eu teria dito a você que meus avós me ensinaram a acreditar em mim mesma, e nos outros, não importa o que aconteça, mas, por mais que eu tenha tentado, eu ainda não fui completamente capaz de me livrar do medo que meus pais instauraram em mim. Não até você aparecer. Eu teria dito a eles que sei que estaria segura sendo selvagem com você porque você jamais deixaria que nada acontecesse comigo. — Ela nem se importou em enxugar as lágrimas dessa vez, não quando sabia que mais lágrimas iam rolar. — E eu teria dito que descobrir que você comprou a casa ao lado fez parecer com que fosse meu aniversário e Natal tudo junto, pois você não tinha voltado apenas para o lago. Você tinha voltado para *mim*. Vi que você estava mais sombrio, mais cético, mas eu achei que pudesse apagar sua dor com diversão e riso. E amor. Mas agora... — A respiração tremia e os membros do seu corpo também. — Agora não sei em que pensar.

— Você de fato ajudou. — Será que ela não via? — Você mostrou que eu podia amar quando eu não achava que isso fosse possível. — Rafe queria tanto tocá-la que seus dedos estavam até com câimbra por não poder. Mas ela não tinha oferecido a ele toque algum, e ele tinha certeza de que não merecia mesmo. — Posso mudar. Juro que posso, por você. — Sentindo-se como se tivesse respirando com a ajuda de canudos, ele disse a ela: — Acabei de dizer ao Ben que não vou mais pegar casos de infidelidade. Não quero mais ver relacionamentos serem destruídos, e não quero nenhum dos meus empregados tendo que lidar com isso também.

— Fico feliz por ouvir isso — Brooke disse com delicadeza, mas ela estava pálida demais e parecia bastante frágil. — Mas não sei se isso muda o fato de que eu sempre confio, mesmo quando não deveria. E você sempre duvida, mesmo quando não deveria. Eu queria acreditar que podíamos dar certo, que podíamos amar um ao outro nos momentos ruins, mas...

— Podemos. Vamos. Deixe-me começar por amar você da forma certa, Brooke. Deixe-me provar para você que eu posso consertar tudo o que quebrei. Deixe-me começar substituindo a dúvida pela confiança.

— Meus pais têm razão — ela disse com suavidade. — Talvez eu não saiba tomar boas decisões. Mesmo apesar de saber que eu devia mandar você embora depois do que fez, eu não consigo.

Ela podia ter dito a ele para dar o fora da casa dela, e trancar a porta para impedi-lo de entrar. Mas, apesar de ele a ter machucado, ele ainda podia ver o amor em seus lindos olhos. Ela nunca conseguiu esconder isso dele.

— Graças a Deus — ele disse, sentindo o alívio percorrer o corpo dele ao se aproximar dela.

Brooke o deixou abraçá-la durante um perfeito batimento cardíaco... Mas depois se soltou dos braços dele e se distanciou o bastante para que ele não a abraçasse nem a tocasse.

— Naquele dia na praia, quando nos beijamos pela primeira vez, você disse que precisava de vinte e quatro horas para pensar direito sobre as coisas. Enquanto eu estiver em Seattle nas próximas vinte e quatro horas, nós dois vamos aproveitar o tempo para refletir. Pelo menos — ela acrescentou com um suspiro de exaustão — eu vou.

— Você não vai voltar para casa hoje?

Os olhos dela tiveram um lampejo de surpresa pela forma como ele disse *casa*. Apesar de ter passado toda a vida adulta em Seattle, ele nunca se sentiu de fato em casa até dividir uma com ela.

— Não consigo pensar direito quando estou com você, Rafe — ela ofegou, estremecendo. — Preciso ter certeza. Certeza absoluta.

Ele odiava ouvir as próprias palavras voltarem para ele. Odiava mais ainda saber que tinha sido um tolo por ter pensado dessa forma, para começo de conversa. O desespero tomava conta dele. Ele precisava tê-la de volta... E fazê-la ficar.

Ele sabia que, se a beijasse da forma como a beijou naquela tarde na praia, quando os dois estavam molhados, ele poderia impedi-la de ir, poderia fazê-la mudar de ideia sobre as vinte e quatro horas para pensar se as coisas poderiam dar certo ou não.

Mas Rafe já tinha errado demais com Brooke. Usar a atração mútua para tentar prendê-la a ele por um tempo só iria destruir o que tinha sobrado do amor que ela sentia por ele.

Então, quando ela disse: — Preciso me arrumar para sair — e se virou para voltar para o quarto e fechou a porta atrás dele com um clique suave, apesar de isso tê-lo destruído, ele a deixou ir.

Vinte e quatro horas.

Ele tinha vinte e quatro horas para descobrir como provar para ela que poderia mudar… E que poderia amá-la da forma como ela merecia ser amada.

Brooke ficou no quarto e encarou a cama desarrumada, onde ela e Rafe tinham feito amor horas atrás... E onde ela disse que o amava. Ela não tinha dúvida alguma. Não tinha medo algum. Ela deu a ele seu coração com a perfeita certeza de que ele jamais o machucaria.

Quando criança, Brooke olhava para Rafe Sullivan com estrelas nos olhos. Dezoito anos depois, quando ele a tocou como mulher, as estrelas se transformaram em algo tão brilhante, tão lindo, que ela ficou cega para todo o restante. Tudo o que ela queria era vê-lo sorrir com mais facilidade, mais frequência. E, para si mesma, experimentar o gostinho de ser selvagem e se sentir segura e aquecida nos braços quentes dele.

Ela o amava tanto que acreditava ter fé suficiente no mundo para os dois, suficiente para renovar a fé dele nas pessoas, para mostrar a ele que o amor podia mudar tudo.

Mas será que podia?

CAPÍTULO VINTE E TRÊS

Mal haviam se passado quinze minutos desde que Brooke tinha ido embora e Rafe já sentia tanto a falta dela que quase ligou a moto uma dúzia de vezes para ir atrás dela. Mas ela lhe deu vinte e quatro horas. Ele devia o mesmo a ela, devia a ela mais uma chance de pensar com clareza sobre as coisas.

Ele tinha saído de Seattle para curtir o verão longe dos canalhas por um tempo e para poder espairecer... Só que descobriu que ele era o verdadeiro canalha. E agora, se ele não conseguisse convencê-la a aceitá-lo de volta, ele teria que voltar ao lago todos os verões, acenar para ela da varanda ao lado e vê-la apaixonar-se por outro cara que fosse inteligente o bastante para saber que tinha algo muito bom em seus braços. Rafe iria querer morrer se Brooke ficasse grávida de outro homem, e se visse outra pessoa ensinar os filhos dela a nadar e contar histórias assustadoras a eles ao redor da fogueira à noite, o tempo todo sabendo que esse cara deveria ser *ele*.

Mas ele ficou tão concentrado em tudo o que havia de ruim no mundo que não se permitiu ver que a melhor coisa do mundo estava o tempo todo em seus braços. Ele poderia ser um ótimo investigador, mas ignorou cada dica honesta e amorosa que Brooke deu a ele.

Embora Rafe agora tivesse uma casa toda reformada e mobiliada, um lar que um dia esteve cheio do amor e das risadas da sua família, ele afinal entendeu onde estava o verdadeiro lar. Com Brooke.

Uma semana antes, a casa ao lado não parecia longe o suficiente se o caso deles desse errado. Mas agora parecia longe demais. Ele não conseguia ficar ali, não conseguia imaginar passar uma só noite em sua nova cama sem ela aninhada a ele.

Deus, ele era tão idiota. Ele ficou tão preocupado em magoar Brooke, em arrancar sua inocência com sexo pervertido. Mas nada do que tinha feito no quarto havia tirado a doce luz de seus olhos. Não. Mandar Ben desenterrar seu passado tinha retirado o véu de vez.

Os pais dela nunca conseguiram ver a verdadeira Brooke, e ele disse a ela que tinha conseguido. Mas tinha tanto medo do que via sempre que olhava nos olhos dela que tentou ver pelos olhos céticos do investigador em vez do olhar do homem que tinha se apaixonado profunda e inteiramente. Ele criou a forma perfeita de testar isso para sempre... Certificando-se de que ela soubesse de maneira exata que ele estava longe de ser um homem com quem ela pudesse contar e compartilhar sua doce vida ensolarada.

E o tempo todo ele acreditou que seria melhor jogar algo fora do que tê-lo roubado de si mais tarde.

Rafe não tinha traído Brooke, mas foi tão ruim não ter falado com ela nem ter respeitado sua força para dizer como estava assustado por amá-la, e sobre se ele poderia ser o homem que ela precisava que ele fosse. Ele se sentia tão orgulhoso de si por nunca ter traído uma mulher, quando o tempo todo ele estava sendo pior do que qualquer escória que havia pegado traindo em flagrante no decorrer dos anos.

Como ele ia consertar as coisas?

Aquelas eram as vinte e quatro horas mais importantes da sua vida, e ele se sentia perdido. Perdido até a alma. Ele enfim colocou um ponto-final nas investigações que haviam levado seu coração às trevas, mas será que era pouco demais, tarde demais?

Outras pessoas vinham até Rafe Sullivan pedir ajuda. Ele não ia até elas. Mas, de repente, ele percebeu que tinha sido um tolo por mais de uma razão, e não apenas com Brooke. Sua família sempre o apoiou, mas ele se fechou para eles. Não só depois de ter sido esfaqueado, mas bem antes disso, quando seu trabalho, e sua vida, tinham se tornado algo que ele não apreciava mais.

Ele tirou o telefone do bolso e digitou. — Mia, preciso da sua ajuda.

— Rafe? O que aconteceu? — Claro, antes que ele pudesse responder, a irmã já sabia que tinha algo a ver com Brooke. — O que você fez?

— Estraguei tudo, como você previu.

— Como?

— Fiz uma verificação de antecedentes sobre o sócio da Brooke sem falar para ela antes.

Ela emitiu um som que demonstrava a besteira que ele tinha feito. — Bem, isso mostra a maior falta de respeito, mas, com sinceridade, mesmo sabendo que ela está brava com certeza, não acho que seja nada que não tenha conserto se você se humilhar o suficiente.

— Isso não é tudo, Mia. — Ele engoliu fundo diante da imensa extensão da sua estupidez. — Também verifiquei os antecedentes dela.

— Ah, que merda, Rafe. — Ela ficou em silêncio por um bom tempo. — Você é meu irmão e eu o amo, mas pode ter certeza de que você não está facilitando a vida de uma irmã que quer ajudar. Porque, se um homem com que eu estivesse dormindo fizesse isso comigo...

— A gente não está só dormindo junto. Eu a amo. E só tenho vinte e quatro horas para pensar em uma forma de trazê-la de volta.

Ele não sabia o que esperava que Mia fosse dizer depois de ouvir que ele tinha se apaixonado pela amiga de infância. Ela sabia que não seria "Você jamais teria feito isso se não a amasse". Claro que Mia disse algo que ele esperava ouvir *de fato*. — Juro, os homens são tão imbecis às vezes que não sei como ainda existem. — Ela soltou um longo e profundo suspiro. — Se você tivesse se esquecido do aniversário dela ou algo assim, seria fácil consertar. Sabe, uma dúzia de rosas e ficar do lado de fora da casa recitando a poesia que escreveu sobre a beleza dela. Mas, depois do que você fez, vou precisar de um tempo para pensar em uma maneira bem melhor de destravar o coração dela para que ela volte a confiar em você.

— Destravar o coração dela — ele disse devagar, como se a primeira resposta tivesse vindo de súbito. — Obrigada pelo apoio, irmãzinha.

— Espere um minuto, eu ainda não disse o que você deve fazer.

— Só me deseje sorte. — Assim que ela desejou, Rafe enfiou o telefone no bolso e foi direto para a moto.

Talvez — a voz cética dentro dele o avisava enquanto ele ia até a loja de ferramentas — os planos para destravar o coração de Brooke não bastassem para ganhar seu coração de volta. E talvez um dia, uma semana, um ano atrás, isso o teria impedido de até mesmo tentar.

Mas não hoje. Não quando ele estava por fim disposto a acreditar que havia uma chance de reconquistar o amor que ele havia jogado fora sem querer.

Ele iria se humilhar. Iria implorar. Iria suplicar. Ele arrancaria todas as camadas de orgulho para tentar ganhar o amor de Brooke outra vez. Ele iria reparar todos os seus erros, um a um, durante as próximas vinte e quatro horas.

E então, se ele fracassasse, ele recomeçaria do início.

Brooke sentia como se estivesse sonâmbula durante as reuniões em Seattle. Cord tinha expressado preocupação sobre sua palidez logo que ela chegou, mas ela sabia que, se abaixasse a guarda por até mesmo um segundo, não conseguiria seguir em frente. A última coisa que queria era encontrar todo mundo na associação de varejo local com os olhos vermelhos de tanto chorar e as bochechas úmidas de lágrimas, então ela ficou firme o dia todo.

Vir sozinha para Seattle dois dias antes tinha sido para pensar melhor sobre a situação com Rafe, mas ela acabou entrando na loja *Indulgência* para comprar algumas surpresas sensuais para ele. Dessa vez, porém, tudo o que ela via pela frente nas próximas vinte e quatro horas eram pensamentos e questionamentos que não paravam de rodopiar.

A única coisa que ela sabia com certeza era o quanto amava Rafe.

Ah, se ela soubesse que apenas o amor poderia ser suficiente ou não...

Depois de recusar a oferta de Cord de sair para beber, ela caminhou a pé pela cidade. O céu estava pesado com a ameaça de chuva, e ela tinha a esperança de que começasse a chover, que talvez a chuva pudesse espantar suas dúvidas. Dúvidas que ela nunca se permitiu sentir antes.

Enquanto caminhava pela calçada, todo homem que via de cabelos negros e ombros largos lhe trazia a esperança de que Rafe tinha ignorado seu pedido por vinte e quatro horas de separação.

Brooke suspirou diante das emoções descontroladas. Quando ele disse que queria compensar o que havia feito, cada célula de seu corpo queria aproximar-se dele e ficar bem ali, aninhada em seus braços. Foi a coisa mais difícil que havia feito para forçar-se a ser inteligente... E partir para que entre eles ficasse um espaço de meditação.

Ela era resiliente. Era forte. Mas, se as coisas ficassem como estavam, quanto tempo levaria até que seu amor por ele enfim se despedaçasse? Mesmo assim, ele já não tinha dado um passo na direção certa ao mudar o foco das investigações para longe dos casamentos arruinados?

Brooke pensou que deveria estar tendo alucinações quando olhou para cima e viu o nome Sullivan em uma enorme placa bem acima de onde estava. Meu Deus, ela estava mal mesmo, não só por ver Rafe em todo estranho que encontrava na rua, mas por também ver o nome dele em toda placa também.

Bem ali, naquele exato momento, o céu finalmente se abriu. Brooke passou a mão pelos olhos para tentar tirar a chuva da sua visão, e notou a placa IMOBILIÁRIA SULLIVAN, quando ouviu seu nome.

— Brooke? — Mia sem dúvida estava surpresa em vê-la. — O que você está fazendo aqui na chuva, na frente do meu escritório?

Antes que Brooke pudesse responder, Mia pegou em sua mão e a levou para dentro do prédio. Quando Brooke viu, estava sentada em um sofá de couro aveludado com uma xícara de café quente nas mãos. E quando ela se virou para olhar para a amiga, que estava sentada ao lado dela no sofá parecendo bastante preocupada, era como se a chuva tivesse mandado seus filtros interiores embora.

— Pensei que pudesse curar Rafe — Brooke deixou escapar, cada palavra gravada com a dor que tinha se esforçado tanto para controlar o dia todo. — Pensei que pudesse amá-lo o bastante para fazer as trevas partirem. Mas e se eu não puder?

Ela não conseguia dizer se seu rosto estava molhado por causa das lágrimas ou da chuva, mas isso não importava quando a amiga tirou o café intocado de suas mãos, colocou-o na mesa de vidro em frente a elas e a abraçou.

Mia era uma mulher pequena, mas seus braços eram quentes e fortes. Como os de seu irmão sempre foram.

Alguns minutos depois, Mia entregou-lhe uma caixa de lenços de papel, e tão logo as lágrimas secaram, ela deu-lhe outra xícara de café. Estava quente e preto, e, depois do longo choro, Brooke por fim se sentiu um pouco mais estável ao bebê-lo.

— Rafe me telefonou hoje de manhã — Mia disse com delicadeza.

Brooke quase derrubou a xícara, e a colocou de volta na mesa para que não derramasse café por tudo. — Ele está bem?

Mia sem dúvida ficou surpresa pela pergunta. — Se ele tivesse feito comigo o que fez com você, essa definitivamente não seria a minha primeira preocupação. — Ela inclinou a cabeça. — Você ama meu irmão de verdade, não ama?

O cérebro de Brooke parecia entupido por causa do choro recente, e por sentir muita falta de Rafe nas últimas oito horas. — Você sabe que sim. Sempre amei.

— Graças a Deus — Mia disse. — Porque ele me pediu para ajudá-lo a descobrir como reconquistar você de volta — Brooke sentia o gelo dentro do peito derreter conforme Mia lhe contava. — E, apesar de parecer que ele encontrou a resposta sozinho para sua pergunta antes que eu pudesse pensar em algo, o fato de ele ter ligado já foi grande coisa. Para ser franca, não consigo pensar na última vez em que ele pediu minha ajuda. Nem para nenhum de nós. Rafe achava que seu trabalho era ajudar todo mundo, e jamais o contrário.

— É por isso que ele é detetive particular — Brooke murmurou. — Para ajudar as pessoas a sair das trevas.

— Todos nós tentamos nos aproximar dele no decorrer dos anos. Embora eu tenha conseguido convencê-lo a fazer uma pausa para passar o verão no lago este ano, nenhum de nós chegou perto de ajudá-lo nos últimos anos da forma que você conseguiu em menos de uma semana, Brooke. Todos nós amamos Rafe, mas *seu* amor foi o que fez a diferença, não o nosso.

Mia, Brooke de repente percebeu, era uma romântica secreta. Uma que tinha sido magoada, é óbvio, mas que, no fundo do coração, ainda acreditava no amor.

No *amor verdadeiro.*

No mesmo amor que Brooke sentia por Rafe desde o início.

O mesmo amor que ela sentia por ele naquele exato momento.

Sim, doía a fato de que Rafe não confiava nela o suficiente para tratá-la como a amiga que ela deveria ser. Doía como o inferno, na verdade, e era a dor mais profunda que ela já tinha sentido. Mas ela não sabia que Rafe tinha suas cicatrizes profundas, maiores por dentro do que o ferimento a faca causado por um ex-marido despeitado.

Depois do que tinha visto como detetive, fazia sentido ter medo de acreditar que o amor verdadeiro era real, ou que poderia durar.

Claro que ele tentou provar para Brooke que estava certo... E ela quase o deixou fazer isso afastando-se dele depois do erro cometido.

Brooke deu um rápido abraço em Mia antes de saltar do sofá. — Obrigada. Por tudo. Tenho que ir. Ele precisa de mim.

Brooke fechou a porta e voltou para a chuva antes que Mia pudesse até mesmo se despedir. Pela segunda vez naquele dia, Mia não teve a chance de dizer nem ao irmão nem a Brooke o que fazer depois de os dois terem pedido seu apoio.

Estava claro, Mia pensou com um sorriso ao sentar-se atrás do computador em que ficaria mais uma vez até bem tarde no escritório, que Rafe e Brooke estavam destinados a ficar juntos.

CAPÍTULO VINTE E QUATRO

Três horas depois...

— Brooke? — Rafe esfregou os olhos como se tivesse medo de que ela fosse produto da sua imaginação em vez de estar ali bem na sua frente. — Não se passaram vinte e quatro horas ainda.

Meu Deus, ele era lindo. Forte. Adorável. E um pouco ferido, como todo mundo.

O coração dela batia forte, e Brooke disse: — Não conseguia ficar longe de você nem mais um minuto.

Ela não só estava nos braços dele um pouco depois... Ela estava afinal em casa. Pode ser que eles ainda tivessem um longo caminho a trilhar, mas dali em diante trilhariam esse caminho juntos. E ela jamais cometeria o erro de abandoná-lo de novo, não importando os erros que, seria inevitável, cometeriam ao longo do caminho.

— Eu amo você — ele sussurrou as palavras várias vezes por entre os cabelos dela. — Amo tanto.

Ela ia erguer o rosto do peito dele para dizer que o amava também quando percebeu que o livro de receitas da avó estava em cima da mesa da oficina do avô. Ela ficou tão preocupada quando voltou às dez da noite e Rafe não estava em nenhuma das casas que, quando viu a luz no meio das árvores, não foi pelo caminho que dava na oficina, apenas saiu correndo o mais rápido que suas pernas conseguiam acompanhá-la.

As mãos tremiam quando ela pegou o livro de receitas da avó. — Está consertado. — Ela olhou para o belo homem que amou sua vida inteira. — Você consertou o coração partido.

Brooke passou os dedos trêmulos pela capa de madeira, que parecia tão perfeita como se fosse a primeira vez que o tinha visto quando garotinha. Não havia mais rachadura nem mesmo o menor sinal de que o coração tivesse algum dia sido partido em dois. Ela pressionou a palma da mão sobre o coração e, quando ela fechou os olhos, jurou ter sentido o avô e a avó com eles naquele momento.

Ah, como eles teriam ficado felizes por ver que ela e Rafe estavam juntos, e por saber que haveria muitos, muitos mais verões de amor entre os Sullivans e os Jansens.

— Eu amo você — Rafe pegou Brooke ao mesmo tempo em que ela se jogou em seus braços. — Você prometeu que iria provar que poderia mudar, e não há forma melhor de provar do que isso.

— Na verdade — ele disse ao se afastar um pouco —, tem mais.

Ela tinha que chegar mais perto para acariciar o rosto dele. — Você não precisa de nada mais do que isso. Nada mais do que você.

— Você merece mais, Brooke. Você merece tudo. — Ele pegou a capa do livro de receitas com uma das mãos e a dela com a outra.

Caminhar pela mata em meio à névoa que pairava sobre o lago fazia parecer um sonho. Um dia ela queria fazer amor com Rafe bem ali, no escuro, cercada pelo perfume dos pinheiros, enquanto o restante do mundo dormia.

Ele a levou para dentro da casa dela, e, quando fechou a porta da frente e saiu do caminho dela, de propósito, ela enfim viu o que tinha perdido durante o pânico que sentiu mais cedo ao não encontrá-lo em casa. A fechadura horrorosa não estava mais lá. Ele não colocou a velha fechadura enferrujada no lugar dela, mas, apesar de a nova fechadura não ser pequena, pelo menos parecia combinar com a porta.

— Sei como deve ter sido difícil para você remover a fechadura. — Ela ficou na ponta dos pés para lhe dar um leve beijo nos lábios. — Obrigada.

— Talvez, em algumas semanas, eu consiga trocar essa aí por uma menor ainda.

Ela riu alto pela honestidade dele. Era natural que as mudanças que ele estava fazendo ocorressem em estágios. — Posso viver com essa aí.

Ele abaixou a capa do livro de receitas, depois tirou a fechadura brilhante do bolso. — Vamos ver quanto tempo demora para você arrombá-la.

Ela não conseguia parar de sorrir quando ele gesticulou para ela voltar lá para fora com ele. Ela se ajoelhou ao lado dele enquanto ele lhe mostrava os truques da investigação particular. Ela ficou surpresa por ele ter se lembrado de que ela havia pedido que lhe ensinasse a arrombar uma fechadura na primeira noite em que ficaram juntos.

Quando ele disse não naquele dia, era claro que ele não queria "corrompê-la". Será que isso significava que havia mais corrupção no cardápio?

Ela esperava mesmo que isso acontecesse…

— Sua vez agora — ele disse ao entregar-lhe a fechadura.

Era difícil se concentrar com a coxa de Rafe pressionada contra a dela e sua boca a alguns centímetros de distância, mas ela forçou o cérebro a se concentrar na tarefa. Com o lábio inferior entre os dentes, ela se concentrou em cada um dos passos realizados por ele.

Menos de trinta segundos mais tarde, ela ficou surpresa quando a fechadura abriu. — Olha só! Eu arrombei na minha primeira tentativa.

Rafe olhava para ela e para a fechadura, claramente impressionado. — Esse foi o arrombamento mais rápido que eu já vi um iniciante fazer. Se eu soubesse como a minha garota boazinha podia ser má...

Ela ficou emocionada pelo desejo por detrás das palavras dele, mas, antes que pudesse pegá-lo de jeito para mostrar-lhe com precisão *como* seria bom ao ser mau com ela, ele a levantou e a levou para a cozinha.

— Tem mais? — Era como brincar de caça ao tesouro, sendo o amor o último prêmio.

Ele lançou um sorriso sobre o ombro, mas dava para ver que estava um pouco nervoso em relação ao que iria mostrar depois. Rafe a fez parar na ponta do balcão da cozinha. Dois dias antes, eles tinham feito amor bem ali, no meio do chocolate, e a pele dela enrubesceu ao se lembrar do calor quando ela percebeu que havia uma venda no balcão.

— Estou pronto para fazer aquele teste de degustação para você agora — Rafe disse.

Se ela ainda não o amasse, se ainda não o tivesse perdoado pelo seu erro, teria feito tudo isso agora, ao vê-lo pegar a venda para entregar a ela. Ainda mais quando dava para ver como era difícil para ele deixá-la bloquear um de seus sentidos dessa forma.

Com as mãos trêmulas, ela ergueu a venda até a cabeça dele. Ela o beijou ao deslizá-la na frente de seus olhos. Por sorte, uma leva da sua nova receita *Prazeres de Verão* estava ao seu alcance, então ela não teve que se afastar dele para pegar uma e levar aos lábios dele. Os dentes e a língua dele nas pontas dos dedos dela ao dar uma mordida fizeram com que ela se aproximasse mais dele.

— Que delícia!

Ela não conseguia resistir lamber o chocolate dos lábios dele ao deixar o restante da trufa de lado e retirar a venda. — Assim como você.

Havia tanta doçura em tudo o que ele havia feito para provar seu amor para ela. Brooke pensou que precisaria de desculpas intermináveis, além de rastejar por ela depois da forma errada como ele tinha agido. Agora ela sabia que a única coisa de que precisava era de Rafe Sullivan como ele era — divertido e perigoso, iluminado e sombrio, doce e sexy, incentivador e superprotetor também.

— Nunca vi meus pais brigarem — ela disse. — Nunca os vi se magoarem de jeito algum. E nunca vi paixão também. Eles sempre queriam que tudo fosse tão perfeito, tão limpo e seguro que eu acho que estavam dispostos a desistir do amor verdadeiro só para ter certeza de que tinham. Mas, mesmo se isso quiser dizer que eu não tenho bom senso, se ficar sem você significa ser sensato e tomar as decisões "certas", então estou feliz em tomar as decisões erradas. Porque não estou disposta a jamais desistir do amor verdadeiro.

— Lembra de quando me perguntou o que eu achava que fosse o amor verdadeiro?

— Você pareceu tão chocado até pela pergunta sobre *isso* — ela provocou.

— Foi porque eu tinha acabado de perceber que estava olhando para *isso*. Bem para você. — Agora ela era quem estava chocada. — Achei que tinha tantas razões inteligentes pelas quais precisávamos ficar longe um do outro, mas todas elas levaram à mesma coisa: eu tinha medo de confiar em qualquer um. Mas então, quando estávamos na praia depois do nosso quase primeiro beijo, olhando para mim bem nos meus olhos, perguntando-me por que eu estava correndo, você me assustou mais do que qualquer coisa em minha vida. Eu já sabia que queria dormir todas as noites e acordar todas as manhãs com você em meus braços, mas não entendi como poderia ser possível cometer um erro e ainda encontrar uma forma de fazer dar certo juntos.

— Se você me perguntar, acho que conseguimos passar pelos nossos momentos difíceis até com mais facilidade do que antes.

A esperança iluminou seus olhos, e, ah, como ela adorava ver as trevas serem substituídas quando ele perguntou, para ter certeza:

— Conseguimos?

— Sim. — Ela pegou na mão dele e começou a levá-lo na direção do quarto. — E agora acho que chegou a hora de celebrarmos.

Ser selvagem, ela percebeu agora, não tinha só a ver com sexo. Tinha a ver com querer que Rafe fosse seu parceiro em aventuras de todos os tipos — em especial a maior de todas: um amor que duraria para sempre.

Claro, ela pensava com um sorriso quando ele a envolveu em seus braços e lhe deu um beijo de tirar o fôlego, ela estava mais do que feliz em ficar com o sexo selvagem também.

Rafe poderia tê-la beijado a noite toda, sem jamais querer soltá-la, mas havia mais uma coisa importante que ele precisava dar a ela, algo que ela tinha pedido repetidas vezes. Saboreando a maciez e a doçura do seu corpo contra o seu ao deitá-la aos poucos na cama, ele emoldurou seu belo rosto com as mãos.

— Que tal um pouquinho de perversão?

Os olhos dela se arregalaram de surpresa, seguida daquela alegria que ele sabia ter sido um tolo para resistir por tanto tempo.

— Você sabe o quanto eu quero isso — ela disse —, mas só se você também quiser.

Ele sempre quis, mas primeiro precisava que Brooke entendesse por que ele precisou resistir antes. Olhar nos olhos dela deu-lhe forças para admitir. — Eu tinha medo de confiar em mim com você. Tinha medo de não saber quando parar, não só durante o sexo, mas depois. Tinha medo de dar muito do meu coração para você e acabar como os meus clientes, deixando-o partido em minhas mãos depois que você não me quisesse mais.

Os olhos dela se encheram de emoção, e isso fez com que ele sentisse tanto amor por ela. — E agora?

— Agora eu entendo que, quando a paixão queima com tanta força, não há problema em ter medo do poder que você exerce sobre mim, sobre a forma como você faz meu corpo revirar por dentro com um olhar, com um toque, com um beijo. — Cada palavra que ela disse a ele naquela noite no restaurante italiano quando falou sobre o amor verdadeiro ficou para sempre gravada em seu coração. — E agora eu sei que posso falar com você sobre absolutamente qualquer coisa, e você ainda vai continuar me amando. Não importa o que aconteça.

— Sempre — ela prometeu ao beijá-lo. — Para sempre. — Os olhos dela brilhavam de ansiedade quando ela se afastou.

Rafe deu-lhe um último beijo antes de sentar-se na cadeira macia no canto do quarto. — Tire sua roupa, querida. Deixe-me vê-la. Deixe-me vê-la inteira.

A respiração ficou presa no peito ao estender a mão para pegar o cinto do vestido dela. O coração de Rafe batia tão forte, o sangue vibrava tão alto em seus ouvidos que ela mal ouviu o couro caindo no tapete. Ela colocou os cabelos longos sobre o ombro para que ele pudesse abaixar o zíper. O tecido azul escorregou pelos ombros e quadris, caindo no chão aos seus pés, e, quando o sutiã e a calcinha o seguiram, ele agradeceu a Deus por ela não o torturá-lo com um longo *strip-tease* naquela noite.

— Como você me quer?

— Do jeito que você é. — O sorriso que ela deu como resposta foi o mais brilhante que ele já viu.

Rafe levantou-se da cadeira e pegou as tiras de seda da cômoda sem tirar os olhos da beleza inacreditável. Na hora em que ele ficou na frente dela, o peito de Brooke subia e descia com rapidez. Ele levantou um dos pulsos e amarrou, com gentileza, uma das tiras, pressionando um beijo na palma, beijando toda a extensão do braço. Quando a seda colorida prendeu-se em ambos os pulsos, e ela estava tremendo pelo caminho de beijos em sua pele sensível, ele se ajoelhou na frente dela. Em vez de prender logo as sedas aos tornozelos, ele beijou a pele macia da barriga dela, dos quadris, das coxas, descendo cada vez mais até a boca entrar em guerra com as sedas em suas mãos pela chance de estar contra a pele dela.

— *Por favor* — ela implorou. — *Mais.*

Ele iria passar o resto da vida dando tudo o que ela queria, a começar por aquela noite. Levantando os braços, ele a carregou para a cama e a deitou bem no centro.

— Braços e pernas abertas, querida.

Ele nunca sonhou que uma mulher pudesse ser tão inocente — e tão travessa — ao mesmo tempo. As mãos dele tremiam quando ele amarrou primeiro os pulsos e depois os tornozelos à cama, e, quando ele terminou e ela estava toda aberta para ele, ele sabia que era mais do que o seu corpo que ele estava prendendo, mais até do que o seu coração.

Brooke tinha permitido que ele percorresse todo o caminho até a sua alma.

E ele era o homem mais sortudo da face da terra.

Segundos mais tarde, ele tirou a roupa e se ajoelhou no meio das coxas dela assim que a luz das estrelas penetrou pela janela do quarto, iluminando cada bela curva, cada extensão pecaminosa da pele dela.

Sua boca era quente, e ela se entregava debaixo da dele enquanto a beijava, e, embora seus lábios e mãos repetidamente vagassem por todos os lugares mais sensíveis dela, ele não parava de voltar aos seus lábios... E aos beijos que o trouxeram de volta à vida.

Saber que ela havia confiado nele o suficiente para entregar-se assim por completo — e que ele também confiou nela para se entregar por inteiro — foi a coisa mais bonita que ele tinha vivido.

— Preciso de você, querida.

Ele logo soltou as sedas, e, quando Brooke enlaçou os braços e pernas nele, com Rafe segurando-se nela com a mesma firmeza, ele por fim viu que o amor verdadeiro, que um dia achou que fosse tão raro como a lua azul, estava ali o tempo todo.

Embora Rafe não estivesse nem perto de se fartar de Brooke, por poucos preciosos momentos bastou segurá-la em seus braços e saber que ele a tinha feito feliz naquela noite. Feliz de verdade.

Ele olhou para ela, admirado pela bela mulher debaixo dele na cama. — Uma vez você me disse que eu podia perguntar qualquer coisa a você.

— Qualquer coisa — ela confirmou ao abraçá-lo forte, pressionando o rosto contra o dele.

Ele planejou tudo naquela noite, mas foi puro instinto — e amor — que o levou a perguntar. — Você quer se casar comigo, Brooke?

— Agora que — ela disse ao levantar os enormes olhos verdes na altura dos dele — você parece verdadeiramente selvagem... — E então ela pressionou os lábios contra os dele e sussurrou: — *Sim.*

EPÍLOGO

Mais tarde naquele verão...

— Mamãe, papai — Rafe disse, com Brooke ao lado dele, de mãos dadas —, há algo que eu quero dar a vocês.

Mia prontificou-se a tirar uma foto da surpresa — e da alegria absoluta — no rosto de seus pais no exato momento em que perceberam que Rafe tinha lhes dado a casa do lago. Era deles de novo, só que dessa vez nenhum banco tiraria deles.

— Rafe? Você está transferindo a casa do lago para nós? — A mãe, Claudia, tinha lágrimas de alegria nos olhos ao abraçar o filho calorosamente. — Ah, querido, você é maravilhoso.

O pai, Max, envolveu os braços ao redor da esposa e do filho. — Obrigado — ele disse, com a voz baixa cheia de emoção.

Mia fungou um pouco, mas se recusou a chorar durante o melhor dia do qual podia se lembrar em anos. Junto com os pais, todos os irmãos, menos Ian, voltaram ao lago para o final de semana. Até agora tinham nadado e praticado esqui aquático e caminhada, e ela riu mais com a família e a nova futura cunhada do que havia rido em muito tempo. O sol tinha se posto, a fogueira vibrava e eles estavam prestes a assar marshmallows quando Rafe decidiu que enfim havia chegado a hora de dar aos pais o presente de aniversário de casamento.

Ela achou que ele ia fazer isso antes, mas Rafe parecia um pouco distraído desde o momento em que Brooke havia prendido o cabelo com uma fita de seda preta muito bonita depois de nadar. Deus sabia como os dois se olhavam com fogo que seria suficiente para assar os marshmallows antes mesmo de acenderem a fogueira. Eles desapareceram na casa com uma desculpa esfarrapada que não enganou ninguém nem por um segundo e demoraram um bom tempo para voltar à praia com o grupo.

Primeiro, todos os seus oito primos encontraram o amor, e agora seu irmão. Ela não tinha dúvida alguma de que Rafe e Brooke tinham o que era preciso para fazer o amor durar, da mesma forma que seus pais.

Quem, ela se perguntava, seria o próximo? Adam? Dylan? Ian? Ou talvez muitos dos seus primos da Costa Leste?

Nesse momento, Dylan pegou o violão que havia trazido e começou a tocar uma das músicas favoritas dos seus pais, *The Way You Look Tonight*. Da mesma forma que faziam quando ela era criança, seus pais começaram a dançar bem devagar na areia, e a água do mar batia em seus pés descalços. Em seguida, Rafe e Brooke se juntaram a eles, tão apaixonados que era quase difícil para Mia observá-los sem desejar algo bonito assim para si mesma.

Quando a música terminou, Dylan mudou logo o ritmo para um rock. Droga! Ela pensou assim que o marshmallow que estava comendo se transformou em cimento em seu estômago, ele tinha que tocar *aquela* música? Mesmo depois de todos esses anos, Mia não podia acreditar que tinha sido estúpida o bastante para se apaixonar por um astro do rock de cuja existência sua família e amigos jamais souberam...

O pai sentou-se ao lado de Mia na tora de madeira e colocou o braço ao redor dela. — Um centavo pelos seus pensamentos, florzinha.

Mia sabia que devia dizer ao pai que estava velha demais para o apelido dos tempos de garotinha. Talvez no ano seguinte.

— Estou tão feliz por Rafe e Brooke; e o relacionamento dela com os pais parece estar um pouco melhor agora, também. — Os Jansens tinham passado parte do dia no lago com todo mundo antes de voltar para Seattle para se encontrar com alguns colegas durante a noite. As coisas não estavam perfeitas entre Brooke e seus pais, mas Mia via o quanto era importante para a amiga que eles estivessem tentando. Da mesma forma que era bastante importante para eles que Rafe sem dúvida daria sua vida pela filha que eles sempre protegeram com tanto cuidado.

— Sua mãe e eu estamos felizes por eles também. — Dava para sentir os olhos castanhos acolhedores do pai sobre ela. — Eu tenho mais um centavo aqui, se houver algo que *você* queira me contar.

Mia forçou-se a dar mais uma mordida na sobremesa. — Está tudo ótimo — ela disse, um pouco animada demais. — Meu trabalho nunca esteve melhor, estou com as minhas pessoas favoritas neste mundo hoje e tenho um encontro amanhã com um bombeiro bonitão que conheci na cidade. Que mais eu posso querer, além de um marshmallow?

Antes que ela pudesse pegar o saco de marshmallows, o pai a beijou na testa. — Eu amo você, Mia.

A única maneira de impedir o choro era rir, por isso, em vez de assar mais um marshmallow, ela o jogou na cabeça de Adam. Segundos mais tarde, a fogueira transformou-se em uma guerra de comida na qual ninguém estava seguro de levar um tiro de chocolate voador ou um torrão de açúcar.

Mia tinha a família, os amigos, a carreira. Qualquer dia desses, ela iria afinal conhecer um cara que a faria se esquecer *dele*... E então ela teria tudo.